随感卷

新青年
LA JEUNESSE

张宝明 主编 张 剑 副主编

10

新文化元典
丛书

河南文艺出版社

图书在版编目(CIP)数据

新青年. 随感卷/张宝明主编. —郑州：河南文艺出版社，2016.5（2025.1 重印）

（新文化元典丛书）

ISBN 978-7-5559-0341-3

Ⅰ.①新… Ⅱ.①张… Ⅲ.①期刊-汇编-中国-民国 Ⅳ.①Z62

中国版本图书馆 CIP 数据核字（2015）第 286624 号

总 策 划	王国钦
策　　划	崔晓旭
责任编辑	崔晓旭
美术编辑	吴　月
责任校对	殷现堂
装帧设计	张　胜

出版发行	河南文艺出版社
本社地址	郑州市郑东新区祥盛街 27 号 C 座 5 楼
承印单位	河南省四合印务有限公司
经销单位	新华书店
纸张规格	640 毫米×960 毫米　1/16
印　　张	15.5
字　　数	173 000
版　　次	2016 年 5 月第 1 版
印　　次	2025 年 1 月第 5 次印刷
定　　价	31.00 元

版权所有　盗版必究

图书如有印装错误，请寄回印厂调换。

印厂地址　焦作市武陟县詹店镇詹店新区西部工业区凯雪路中段

邮政编码　454950　　电话　0391-8373957

出版说明

一、为纪念《新青年》(原名《青年杂志》)创刊100周年,本社特别策划出版"新文化元典丛书"。

二、本丛书由著名学者张宝明主编并提供稿本,由本社分"平装普及"与"精装典藏"两个版本先后出版。"普及版"以大众阅读为目标,分为"政治卷""思潮卷""哲学卷""文学创作卷""文学批评卷""文字卷""翻译卷""青年妇女卷""文化教育卷""随感卷"10卷;"典藏版"以学者研究为指归,延续了本社1998年版《回眸〈新青年〉》的版本形式,分为"哲学思想卷""社会思潮卷""语言文学卷"3卷。

三、本丛书在编辑过程中,对文章内容(包括当时特殊的语言、语法使用,习惯性虚词、数字、异体字用法,对外文中人名、地名的个性化翻译等)及作者署名均以其原貌呈现。为方便今天读者阅读,本次出版对原文中的繁体字进行了简体转换,对可以确定的技术性错讹进行了订正,对个别的标点符号用法进行了相对规范。对错讹较多的英语、俄语等外文,特邀有关专家进行了认真校订。

四、"随感卷"内容选自《新青年》原版各卷中的"随感录"。因原文发表时大部分并无标题,本次专卷出版的标题为主编所加。

五、本丛书的策划出版,也是我们对2019年"五四"运动100周年的一次提前纪念。

河南文艺出版社
2016年5月

回眸:唯以深情凝望……(代序)

张宝明

  1492年10月11日,克里斯托弗·哥伦布看见海上漂来一根芦苇,欢呼雀跃地宣布了被称为"救世主"之新大陆的发现。
  1915年9月,《青年杂志》创刊。这就是那个日后易名为《新青年》的月刊,她从此成为一代又一代青年人心目中拨云见日的精神新大陆。
  饶有情趣的是,无论是彼岸还是此岸的"新大陆",其发现过程都需要有敢于冒险的勇气、勇于担当的气魄、胸怀天下的责任。500年前,哥伦布想方设法说服了西班牙女王得以扬帆;100年前,陈独秀费尽口舌让出版商动心,在那出版业凋敝、萧条的时代,主编那"让我办十年杂志,全国思想全改观"的信誓旦旦背后多少有些心酸。
  一个世纪过去了,重温百年历史记忆,翻阅那一页页泛黄的纸张时,我无法用编选或剪辑来保存这样一个精神存照。
  作为20世纪一轮最为壮丽的精神日出,《新青年》以其鲜活的时代性入世,演绎了一台精彩纷呈的思想史专场。她已经在百年的风雨沧桑中固化为一尊灵魂的雕像、一座精神的丰碑。形而下的标本馆可以被肢解、分离,甚至拆卸为齿轮和螺丝钉,可谁若是声称复制出形而上的灵魂标本馆,我们不免顿生疑窦。因为灵魂的雕像和精神的丰碑只能内化于每一个人的心底,存贮于每一个人的心灵。

回望百年,再也没有这样的思想演绎更值得我们咀嚼了。仿佛,她就是我那无法用肉眼观看的神经末梢。岁月陶铸了文化的沧桑,年龄剪断了思想的记忆。"剪不断,理还乱。"因此,面对沧桑的文化记忆,面对凌乱的思想线团,我们无法用具象化的"编选"或"剪辑"称谓,更无法用当年文化先驱的启蒙来"普及"当下的启蒙。这里的思想静悄悄,这里的灵魂无眠,这里精神永远……我们最好的纪念就是无言面对,默默注目,深深凝望……

《新青年》,已经不是当代青年心目中的"新大陆";回眸《新青年》,无非是想通过那一代知识先驱心中流淌的文字为20世纪中国做一个有血有肉的注脚。发黄的纸张、右行竖迤的文字以及远离的先驱成为朦朦胧胧的追问,我们在回眸中分明看到了自己。我们在解读自己,也在解剖自己,更是在反省着自己。有时,我们又不能不拷问何以如此失去自己。这不是多愁善感,而是因为风雨沧桑的生命之旅招惹了我们的思绪:《新青年》不是一个尘封的历史遗存,而是一个活生生的对象,一段可以触摸的历史,更是一曲跌宕的纸上声音:说你,说他,说我……

风流,不会像诗中说的那样总被雨打风吹去。昔日的倜傥,同样可以因我们的自觉而获得立体的再现。多年之后,长征之后落定延安的毛泽东对埃德加·斯诺吐露心声说:在1916年,我和几个朋友成立了新民学会……许多团体大半都是在陈独秀主编的《新青年》的影响下组织起来的。而我在师范学校读书时,就开始阅读这本杂志了,并且十分崇拜陈独秀和胡适所做的文章。他们成了我的模范,代替了我已经厌弃的康有为和梁启超。青年时代的毛泽东,有很长一段时间都在翻阅、谈论、"思考《新青年》所提出的问题"。1918年2月,读到《新青年》的周恩来在日记中奋笔疾书:晨起读《新青年》,晚归复读之。于其中所持排孔、独身、文学革命诸主义极端赞成。恽代英从武昌写来肺腑之言,盛赞《新青年》的思想价值:我们素来的生活,是在混沌的里面。自从看了《新青年》,渐渐地醒悟过来,真是像在黑暗的地方见了曙光一样。我们对于做《新青年》的诸位先生,实在是表不尽的感激。当时在陆军第二预备学校读书的叶挺也热情洋溢地表达过对《新青年》的仰慕和膜拜:空谷足音,遥聆若渴。明灯黑室,觉岸延丰。最后并以急不可待的心情期盼着"思想界的明星"(毛泽东语)。陈独秀指点迷津:吾辈青年,坐沉沉黑狱中,一纸天良,不绝于缕,亟待足下明灯指迷者,当大有人在也。

热血的政治青年对此刊有一种天然的偏爱,在校读书的文学青年对此更是欢喜。北大学生杨振声曾这样回忆说:像春雷初动一般,《新青年》杂志惊醒了整个时代的青年。冰心也这样评论《新青年》:"五四"运动前后,新思潮空前高涨,新出的报纸杂志像雨后春笋一样,目不暇接。我们都贪婪地争着买,争着借,彼此传阅。其中我最喜欢的是《新青年》里鲁迅先生写的小说,像《狂人日记》等篇,尖锐地抨击吃人的礼教,揭露着旧社会的黑暗和悲惨,读了让人同情而震动。凡此种种,举不胜举。

热血青年如是说,引导"新青年"的当事人更是引以为豪。胡适就曾在20世纪30年代为重印《新青年》激动不已,并挥毫题词:《新青年》是中国文学史和思想史上划分一个时代的刊物。最近二十年中的文学运动和思想改革,差不多都是从这个刊物出发的。胡适为重印《新青年》的广而告之及定位,与其在1923年写给"新青年派"高一涵、陶孟等同人的信中表述一脉相承:二十五年来,只有三个杂志可代表三个时代,可以说创造了三个新时代:一是《时务报》,一是《新民丛报》,一是《新青年》。《民报》与《甲寅》还算不上。题中之意还在于:《新青年》创造了一个崭新时代,永远不会被遗忘和尘封。鲁迅作为"新青年派"的中坚,也曾在为《中国新文学大系》所作的序言中鼓与呼:凡是关心现代中国文学的人,谁都知道《新青年》是提倡"文学改良",后来更进一步号召"文学革命"的发难者。从学术"象牙塔"走向办杂志、发议论的公共空间,从学问家到舆论家,"新青年派"知识群体经历了一个艰难的选择里程。这里,我们不难从鲁迅心灰意冷的"钞古碑"到满怀激情地"听将令"之转变窥见同人们的"一斑":但是《新青年》的编辑者,却一回一回的来催。催几回,我就做一篇。这里我必得纪念陈独秀先生,他是催我做小说最着力的一个。

....

我们知道,在世界文明史上,18世纪的法国因其启蒙运动的舆论力量留下盛名,并产生了一批以伏尔泰为精神领袖的舆论之王。当作为社会良知化身的知识分子以公共面目出现时,就获得了舆论家的声誉。胡适这位现身说法的当事人这样用英文将其正名为"Journalist"或者"Publicist",而且对"意中舆论家"有这样的诉求:有"笔力"、懂国内外"时势"、具"远识",其中"公心"和"毅力"最不可或缺——这是胡适1915年1月尚在美国留学时日记中记下的夙愿。回国任职北京大学后,学问家的身份反被舆论家的名声所掩盖,他走了一条"一发不可收"的不归路。从此,思想史上的胡适而不是学术上的胡适,成为声名鹊起的一代思想骄子。

《新青年》创刊于上海,兴隆于北京,终结于广州。在这一平台上汇聚起来的"新青年派"同人,学术凹陷,思想凸显;学问淡出,舆论立言。"五四"新文化运动的天空中,最耀眼的是那一抹以"民主""科学"为主调的绚丽彩虹。舆论的彰显与张扬,拉动着中国现代性加速转型。1905年科举的终结,让传统士人走向边缘,而舆论家的身份意识和担当情怀重新将他们推向时代的浪尖和话语的中心。这里,"新青年派"同人不再是书斋里"钻牛角"、翻故纸的学术把玩者,而是一批"执牛耳"、观天下的社会现实参与者。行走于风雨故园中的时代先驱们,可以不是理性、冷静的审慎思考者,却是理想在前、激情在身的担当者。一百年后回眸《新青年》,我们可以为他们的急不择言、话不留余的语言暴力保持一份反思的态度,但毋庸置疑的是,他们留下的文本却为我们读懂20世纪以及当下的中国提供了弥足珍贵的思想路径。从这里,走进历史现场;在这里,读懂近世中国。的确,在享受这一新文化运动元典阅读快感之际,无论如何都无法阻止我们的心跳。

这里,不但有"妙手"写下的"文章",更有"道义"担当的"铁肩"。《新青年》寻求真理、坚持真理的使命感与历史同在,历历在目;新文化运动敢于担当、勇于担当的责任感与日月同辉,常读常新。听其言——陈独秀在文学革命的战车上立下过"愿拖四十二生的大炮为之前驱"的誓言,还有那振聋发聩之守护"民主""科学"的承诺:西洋人因为拥护德、赛两先生,闹了多少事,流了多少血,德、赛两先生才渐渐从黑暗中把他们救出,引到光明世界。我们现在认定:只有这两位先生,可以救治中国政治上、道德上、学术上、思想上一切的黑暗。若因为拥护这两位先生,一切政府的压迫、社会的攻击笑骂，就是断头流血，都不推辞。信誓旦旦，掷地有声。观其行——1919年6月8日，陈独秀为声援和欢迎"五四"运动中被捕出狱的学生撰写的《研究室与监狱》就是一篇激情四溢、气势磅礴的短平快舆论：世界文明发源地有二：一是科学研究室，一是监狱。我们青年要立志出了研究室就入监狱，出了监狱就入研究室，这才是人生最高尚优美的生活。从这两处发生的文明，才是真正的文明，才是有生命有价值的文明。陈独秀雄于言、力于事的个性和品格，在舆论抛出三天之后"知行合一"。被胡适誉为"一个有主张的'不羁之才'"的陈独秀，在经过三个月的监禁后，成为中国共产党的创始人。

无独有偶，作为《新青年》主力的舆论家胡适向来以性格稳健、思想"健全"著称。即使如此，他在"新青年派"同人营造的公共空间里丝毫不减锐气，文风堪称犀利直接、所向披靡。如同我们看到的那样，当《民国日报》记者邵力子以北洋政府下令"取缔新思想"之舆情发难胡适，并"三十六计，走为上计"揣测其生病住院时，当事人严正地在《努力周报》上发布公告：我是不跑的，生平不知趋附时髦；生平也不知躲避危险。封报馆，坐监狱，在负责任的舆论家的眼里，算不得危险。然而，"跑"尤其是"跑"到租界里去唱高调：那是耻辱！那是我决不干的！这就是"新青年"那一代知识先驱的共同心声和承诺。知其言，观其行。新文化运动的舆论家就是这样直面着人生、关注着社会、履行着诺言、担当着责任。胡适很早就认识到"舆论家之重要"并"以舆论家自任"。应该说，无论是陈独秀还是胡适，尽管在北京大学地位显赫，但真正"暴得大名"并在中国政治史、思想史、文化史上留下重要的影响，依靠的不是作为学问家的"学术"志业，而是以不安本分的"舆论家"起家。在《新青年》周围,一个知识群体为国家、民族的现代性演进而不遗余力地万丈激情挥洒自如。不甘于自处出世、超然的边缘,而要走向中心,有所担当的"家国""天下"情怀体现得淋漓尽致。

百年回眸,在演出那场思想史专场的新文化思想舞台上,海归们给沉寂的中国注入了前所未有的生机。陈独秀、胡适、周作人、鲁迅、李大钊、钱玄同、刘半农、高一涵、沈尹默……"新青年派"同人扬鞭策马、奋笔疾书。本来,学术是他们的安身立命之本,学问家应该是他们原汁原味的角色担当。但是,归国后面对中国的现实,让他们有一种坐不住、不安分的冲动,携带着西方文明的种子,他们很快从一身长衫的学问家华丽转身为西装革履的舆论家,成为指点江山、激扬文字的中心人物……

百年回眸,新文化元典已经走过了一个世纪。在"知识分子到哪里去了""知识分子还能感动中国吗""人文学还有存在的必要吗"之追问不绝于耳的今天,重读《新青年》是那样的情真意切。只要启蒙还没有"普及",只要"五四"先驱设计的目标还没有抵达,只要"中国梦"还在路上,我们就不能不读《新青年》!百年回眸,那是一个渐行渐远的大时代。我们只有以这样的方式默行注目礼……

百年回眸,《新青年》同人打造的"金字招牌"历历在目。当我们手捧10卷本"普及版"的时候,其实我们是在"提高"着对自我与这个时代的认知。本来,"普及"和"提高"就是一个问题的两个方面,无法化约,采用这样的划分完全是为了阅读的需要。我们深知,其中的每一卷都是一个个精神的制高点、诗意心灵的停泊站:"政治卷""思潮卷""哲学卷""文字卷""文学创作卷""翻译卷""文学批评卷""随感卷"的单打以及"青年妇女卷""文化教育卷"

的组合,都能够给读者带来无限的遐想。一杯茶,或一杯咖啡,在原汁原味的隽永文字中咀嚼、品味、思考,唯有这样的互动才能使我们徜徉于心旷神怡的天地。或浓烈,或淡雅,或遥远,或温馨,思想的滋味本来如此……

目 录

(一) 学术与国粹 …………………………… 独　秀　1
(二) 国会 …………………………………… 独　秀　3
(三) 元曲 …………………………………… 独　秀　4
(四)《升官图》 …………………………… 孟　和　5
(五) 留学生界说 …………………………… 孟　和　7
(六) 兵匪 …………………………………… 孟　和　9
(七) "这等人" …………………………… 半　农　10
(八) 斥《灵学丛志》 …………………… 玄　同　13
(九) 斥《灵学丛志》 …………………… 半　农　22
(十) 韩世昌 ………………………………… 独　秀　26
(十一) 自由正义与和平 ………………… 独　秀　27
(十二) 科学与神圣 ……………………… 独　秀　28
(十三) 学术独立 ………………………… 独　秀　29
(十四) 阴阳家 …………………………… 独　秀　30
(十五) 书局与"进化" ………………… 半　农　31
(十六) 新学与古学 ……………………… 玄　同　32
(十七) 西装与礼节 ……………………… 玄　同　33
(十八) 昆曲 ……………………………… 玄　同　34
(十九) 圣言与学术 ……………………… 独　秀　35

（二〇）基督教与迷信鬼神	独　秀	36
（二一）社会裁制力	独　秀	37
（二二）伪善的基督教国民	独　秀	38
（二三）信神与保存国粹	独　秀	39
（二四）被误解的安得森	作　人	40
（二五）"人"之父	唐　俟	46
（二六）英雄与时代	孟　和	48
（二七）社会风尚	孟　和	50
（二八）奉告国民	玄　同	52
（二九）国粹	玄　同	53
（三〇）学习西学	玄　同	55
（三一）阳历	玄　同	56
（三二）"脸谱"	玄　同	57
（三三）科学与鬼话	唐　俟	58
（三四）女子解放	作　人	63
（三五）"保存国粹"	唐　俟	67
（三六）我的大恐惧	唐　俟	69
（三七）"打拳"	鲁　迅	70
（三八）"个人的自大"与"合群的自大"	鲁　迅	72
（三九）理想、经验与事实	唐　俟	76
（四〇）爱情与苦闷	唐　俟	79
（四一）改革	唐　俟	81
（四二）"土人"	鲁　迅	84
（四三）我们所要求的美术家	鲁　迅	86
（四四）多余的"典故"	玄　同	88

(四五)成语与譬喻	玄　同	90
(四六)外国偶像	唐　俟	92
(四七)本领与学问	唐　俟	94
(四八)维新与守旧	唐　俟	95
(四九)进化	唐　俟	97
(五〇)"古已有之"	玄　同	99
(五一)微生虫	玄　同	100
(五二)"怪身体"	玄　同	101
(五三)内讧	鲁　迅	102
(五四)二重思想	唐　俟	104
(五五)"真"与"像"	玄　同	106
(五六)"来了"	唐　俟	109
(五七)现在的屠杀者	唐　俟	111
(五八)人心很古	唐　俟	112
(五九)"圣武"	唐　俟	114
(六〇)"危险思想"？	赤	117
(六一)不满	唐　俟	119
(六二)恨恨而死	唐　俟	121
(六三)《与幼者》	唐　俟	123
(六四)有无相通	唐　俟	125
(六五)暴君的臣民	唐　俟	126
(六六)生命的路	唐　俟	127
(六七)中国狗和中国人	孟　真	129
(六八)"笼统"与"以耳代目"	独　秀	133
(六九)法律与言论自由	独　秀	134

(七〇)过激派与世界和平 …………………… 独　秀　135
(七一)调和论与旧道德 …………………… 独　秀　137
(七二)留学生 …………………………… 独　秀　141
(七三)段派、曹陆、安福俱乐部 …………… 独　秀　142
(七四)《浙江新潮》——《少年》 …………… 独　秀　144
(七五)新出版物 ………………………… 独　秀　145
(七六)保守主义与侵略主义 ……………… 独　秀　147
(七七)裁兵？发财？ ……………………… 独　秀　148
(七八)学生界应该排斥的日货 …………… 独　秀　149
(七九)阔处办 …………………………… 独　秀　151
(八〇)青年体育问题 ……………………… 独　秀　152
(八一)约法的罪恶 ………………………… 独　秀　153
(八二)男系制与遗产制 …………………… 独　秀　154
(八三)解放 ……………………………… 独　秀　157
(八四)虚无主义 ………………………… 独　秀　159
(八五)俄国精神 ………………………… 独　秀　160
(八六)男女同校与议员 …………………… 独　秀　161
(八七)上海社会 ………………………… 独　秀　162
(八八)比较上更实际的效果 ……………… 独　秀　163
(八九)再论上海社会 …………………… 独　秀　164
(九〇)学说与装饰品 …………………… 独　秀　165
(九一)懒惰的心理 ……………………… 独　秀　166
(九二)社会的工业及有良心的学者 ……… 独　秀　168
(九三)劳动者的知识从哪里来？ ………… 独　秀　169
(九四)三论上海社会 …………………… 独　秀　170

(九五)华工 ……………………………	独　秀	171
(九六)四论上海社会 …………………	独　秀	172
(九七)劳工神圣与罢工 ………………	独　秀	173
(九八)主义与努力 ……………………	独　秀	174
(九九)革命与作乱 ……………………	独　秀	175
(一〇〇)虚无的个人主义及任自然主义 ………	独　秀	176
(一〇一)民主党与共产党 ……………	独　秀	178
(一〇二)提高与普及 …………………	独　秀	180
(一〇三)无意识的举动 ………………	独　秀	181
(一〇四)旧约与恋爱诗 ………………	仲　密	182
(一〇五)野蛮民族的礼法 ……………	仲　密	184
(一〇六)个性的文学 …………………	仲　密	186
(一〇七)性美 …………………………	陈望道	188
(一〇八)女人压迫男人的运动 ………	陈望道	190
(一〇九)从政治的运动向社会的运动 …	陈望道	192
(一一〇)跑到内地才睁开了眼睛么？ …	汉　俊	194
(一一一)社会主义是叫人穷的么？ …	汉　俊	195
(一一二)进了步了！ …………………	汉　俊	196
(一一三)日本人尽管放心就是了！ …	汉　俊	198
(一一四)文化运动与社会运动 ………	独　秀	199
(一一五)中国式的无政府主义 ………	独　秀	202
(一一六)下品的无政府党 ……………	独　秀	204
(一一七)青年的误会 …………………	独　秀	206
(一一八)反抗舆论的勇气 ……………	独　秀	207
(一一九)说实话 ………………………	张嵩年	208

(一二〇) 社会 …………………………………… 张嵩年 209
(一二一) 过渡与造桥 ……………………………… 独　秀 210
(一二二) 卑之无甚高论 …………………………… 独　秀 211
(一二三) 革命与制度 ……………………………… 独　秀 213
(一二四) 政治改造与政党改造 …………………… 独　秀 214
(一二五) 难道这也是听天由命的教义吗？ ……… 佛　海 216
(一二六) 狄克推多制(Dictatorship)与农民 …… 佛　海 218
(一二七) 革命定要大多数人来干吗？ …………… 佛　海 219
(一二八) 切实试行!!! …………………………… 赤 220
(一二九) 个人不负罪恶责任 ……………………… 赤 223
(一三〇) "社会问题" …………………………… 赤 225
(一三一) 完人 ……………………………………… 赤 227
(一三二) "研究问题" …………………………… 赤 229
(一三三) 共产主义之界说 ………………………… 赤 230

（一）学术与国粹

独　秀

学术何以可贵？曰以牖吾德慧，厚吾生。文明之别于野蛮，人类之别于其它动物也，以此。学术为吾人类公有之利器，无古今中外之别，此学术之要旨也。必明乎此，始可与言学术。盲同之国粹论者，不明此义也。吾人之于学术，只当论其是不是，不当论其古不古；只当论其粹不粹，不当论其国不国，以其无中外古今之别也。中国学术，隆于晚周，差比欧罗巴古之希腊。所不同者，欧罗巴之学术，自希腊讫今，日进不已。近数百年，百科朋兴，益非古人所能梦见。中国之学术，则自晚周而后，日就衰落耳。以保存国粹论，晚周以来之学术，披沙岂不可以得金。然今之欧罗巴，学术之隆，远迈往古。吾人直径取用，较之取法二千年前学术初兴之晚周、希腊，诚劳少而获多。犹之欲得金玉者，不必舍五都之市而远适迂道，披沙以求之也。况夫沙中之金，量少而不易识别。彼盲目之国粹论者，守缺抱残，往往国而不粹，以沙为金，岂不更可悯乎？

吾人尚论学术，必守三戒：一曰勿尊圣。尊圣者以为群言必折中于圣人。而圣人岂耶教所谓全知全能之上帝乎？二曰勿尊古。尊古者以为学不师古，则卑无足取。岂知古人亦无所师乎？犯此二戒，则学术将无进步之可言。三曰勿尊国。尊国者以为"鄙弃国闻,外励进民德之道"。(用"重组中国学报缘起"之语)夫尊习国闻,曾足以励进民德乎?国闻以外,皆不足以励进民德乎?吾以为此种国粹论,以之励进民德而不足,杜塞民智而有余。(古人以尊国尊圣故,排斥佛教,致印度要典,多未输入中国,岂非憾事?奈何复以此狭隘之眼光,蔑视欧学哉)

国粹论者有三派:第一派以为欧洲夷学,不及中国圣人之道,此派人最昏聩不可以理喻。第二派以为欧学诚美矣,吾中国固有之学术,首当尊习,不必舍己而从人也。不知中国学术差足观者,惟文史美术而已。此为各国私有之学术,非人类公有之文明。即此亦必取长于欧化,以史不明进化之因果,文不合语言之自然,音乐绘画雕刻,皆极简单也,其它益智厚生之各种学术,欧洲人之进步,一日千里,吾人捷足追之,犹恐不及,奈何自画。第三派以为洲人之学,吾中国皆有之。《格致古微》时代之老维新党无论矣。即今之闻人,大学教授,亦每喜以经传比附科学,图博其学贯中西之虚誉。此种人即著书满家,亦与世界学术无所增益。反不若抱残守缺之国粹家,使中国私有之文史及伦理学说,在世界学术史上得存其相当之价值也。例如今之妄人,往往举《大学》"生众、食寡、为疾、用舒"之说,以为孔门经济学。不知近世经济学说,"分配论"居重大之部分,《大学》未尝及之。即"生产论"及"消费论"中,赀其劳力与时间问题,原则纷繁,又岂"生众、食寡、为疾、用舒"之简单理论所可包括。不但不能包括,且为"生产过剩"之原则所不容。倘执此以为经济学,何异据《难经》以言解剖,据《内经》以言病理,据《墨经》以言理化,据《毛诗》《楚词》以言动植物学哉?

(第四卷第四号,一九一八年四月十五日)

(二)国会

独 秀

世人攻击国会议员最大之罪状有二：一曰捣乱，一曰无用。所谓捣乱者，大约以其时与政府冲突，或自相冲突。所谓无用者，大约以其未尝建立利国福民之事业。为此言者，盖不知国会之为何物也。国会唯一之责任与作用无他，即代表国民监督行政部之非法行动耳。此外固无事业可为，安得以有用无用评判之耶？吾国会时与政府捣乱者，正以实行监督政府之非法行动，若大借款，若外蒙俄约，若宋案，若伪公民团围攻议院事件，此之谓尽职，此之谓有用。其或自相冲突，亦因发挥民主政治之精神，与政府与党相搏战耳，此得谓之无用耶？国人须知国会之用处，正在捣乱。若夫不捣乱之参政院及今之参议院，斯真无用矣。

(第四卷第四号，一九一八年四月十五日)

(三)元曲

独　秀

上海某日报,曾著论攻击北京大学设立"元曲"科目,以为大学应研求精深有用之学,而北京大学乃竟设科延师,教授戏曲,且谓"元曲"为亡国之音。不知欧美日本各大学,莫不有戏曲科目。若谓"元曲"为亡国之音,则周秦诸子、汉唐诗文,无一有研究之价值矣。至若印度希腊拉丁文学,更为亡国之音无疑矣。此次北方发生之Pest,西医曾以科学实验之法,收养此种细菌,证明其喜寒而畏热,乃无识汉医,玄想以为北方热症,且推源于火坑煤炉之故,不信有细菌传染之说,妄立方剂。而北京各日报,往往传载此种妖言,殊可骇怪!国人最大缺点,在无常识。新闻记者,乃国民之导师,亦竟无常识至此,悲夫!

(第四卷第四号,一九一八年四月十五日)

(四)《升官图》

孟　和

　　阴历新年，一件最可怪的现象，即上海某书局所发售之《升官图》。某书局之支店分局，殆遍设于全国各重要都会，则其《升官图》销行之数，销行之范围，吾意揣之，必亦可睹。此种事业自书贾方面观之，以为不过一种营利之方法，以高尚之游戏品供给人民，原无损于道德，无害于教育。殊不知若追究其功用，弊害正无穷也。人之不能缺游戏娱乐，亦正如人之不能缺食饮呼吸。一般动物，莫不知先天的有游戏之倾向（试观德国学者格鲁司所著《动物之游戏》一书，征引证据，至为繁博）。其中实含有教育训练的意思，发达能力，备将来成长时生存之用。人类之好游戏，正为其重要之本能。而尤以儿童时代发展转甚，造就将来处世合群之具。故吾人之所当深注意者，不在束缚游戏之本能，而在以适当之方法发挥奖励之。所谓适当之方法者，即视其游戏之原理若何，果否有背于处世合群之旨也。吾所欲批判《升官图》者，正以其原理荒谬，不适用于儿童之游戏也。

　　第一，《升官图》之游戏，与人以定数之观念，命运之迷信。骰子一掷，即分出德才功赃诸花样。不费气力，不俟心思智慧，竟能由学生步步高升，跃而为总长，为省长，为督军，为总统。于兹群纲紊乱，法律废弛之时代，《升官图》或可作为吾族政法社会之写影。

奈何更以此状态炫惑童稚，以此秘诀，传授方兴未艾之青年耶？游戏而不能使人运用心思筋力者，不能谓为好游戏。游戏而发达人之侥幸之心，命数之见者，更不能称为好游戏。

第二，崇拜官僚，乃吾国一般人民之心理。详究其源，有历史上，风俗上，经济上，政治上，种种之关系，吾今不暇殚述。此种观念，流弊滋多，顾不能用全称命题谓凡官僚皆恶，以不作官为德也。吾谓今日之官吏，对于自身，多无正确之观念。以为是一位置，不知其为一职务；以为是一"差事"，不知其为政治制度中之一功能；以为官吏其物即是生存之目的，不知是一作事之机会。今人只知总长坐汽车，不知当筹划全国之行政；只知督军可以垄断一省之利益，不知有开拓地方教导人民之职务。《升官图》之大害，即是以种种煊赫之官职，导儿童以权利争竞之观念，忘却与诸官职相连带之责任也。

第三，近人谈教育者，多重在发达群性。故游戏之法，亦当然以游发挥群性者为上品。西洋各种游戏，如足球，庭球（四人合拍者），野球，网球，赫奇 Hockey，等等，莫不重在组织，视个人能力及组织之若何，定两方之胜负。即如叶子戏之卜立奇、惠斯特、五百，亦以二人为一组（今日吾国盛行之朴克戏，最为下流，而吾亲见吾国政客、官僚、买办，与西国小贩商于火车餐室中为之），有相互倚助之意。于此重要之意味，即诲人以互助，组织联络，诸种结群之妙决也。《升官图》者，发达个人权利之观念。使儿童只知希冀为总统，而不知总统仅为行政中之一部分，与政治上其它诸部分有相依相助之关系。只知进一己之位置，不知当恃个人之道德的努力，友僚之同情的协助，乃能增进一己之位置也。

（第四卷第四号，一九一八年四月十五日）

（五）留学生界说

孟 和

近日社会上最通用之一名词，使吾厌烦不置者，即是"留学生"三字。此语在英文中，本无字与之适合，而一般辄用"归来之学生"，亦不知创自何人。吾意彼邦学说派之文学家，未肯用此生硬不通之名词也！留学生！留学生！吾见其人矣！吾闻其语矣！或在东京，或在西京，或在纽约，或在芝加角，或在伦敦，或在巴黎，或在柏林，或在冥亨，其形形色色，至为不齐，其种种活动，至为驳杂。讵能以留学生一语悉包括之耶？及其归来也，吾亦见之矣。或在西比利亚之急行车中，或在金山斐律宾间，或马赛上海间回航船之甲板上，其意气，其态度，其言论，其怀抱，今固犹宛然在吾目前也。及其足既降于正阳门前之月台上，浮泛于北京之潮流中，留学生之官衔名，呼声最高，而留学生之实质真能，愈益不可捉摸。然则留学生果何属？社会上之一特殊种类欤？官制上之一种新出身欤？谋事用之一种新履历欤？讣闻上之新官衔欤？

留学生最简单之界说，即曾到过海外之意。曾为学生与否，曾从事学问与否，曾得到真学问与否，果能用其所学以济世与否，概不可知，要亦不必为今日所谓留学生必备之资格也。吾曾见吾国国立大学三数英秀之才，其学问，其眼光，其见解，其思想，其德行，远出所谓留学生之上。其不及留学生者,即未能常用西餐,乘自动车,散步于通衢, boulevard 或流连于跳舞场而已。旅游最能增扩见闻,进益知识。某厨丁滞留于欧洲者十余载,归来询其所知,惟有鱼肉蔬菜之名及价值。并西语且未能娴熟,更何论彼邦文学界之明星若 Bernard Shaw, H. G. Wells, Anatole France, Sudermann 诸氏乎!噫!

(第四卷第四号,一九一八年四月十五日)

（六）兵匪

孟　和

某西友新自绥远归，招余晚餐，告我曰："关外村落，十室十空。土匪先来，官兵继至。二者之目的皆同，惟来去非同时耳，于是民皆去为匪。无业之民，遇招兵时，投充步兵。步兵跋涉，困惫殊甚，逃而为匪。为匪有所获，购马一匹，投充骑兵。（该处骑兵，马皆士卒自备，此似大欧洲中古武士之风）月得洋十五元！票洋现洋各半！一旦饷糈不给，复投归匪。寇贼出后之乡，官吏当若局振作勤劳，以保民为己任，而其人又多来自江南诸省。老态龙钟，气志颓靡，塞外之气候饮食，诸多不惯，困守边野，惟冀优差之早至，更何能希其为人民，兴利除害乎？"

（第四卷第四号，一九一八年四月十五日）

(七)"这等人"

半 农

近来甚病,《新青年》四卷四号将出版,几乎不能撰稿以应。一日,体热极高,头昏脑痛之际,恍惚有这一种人物,活现于我眼前——

这等人,虽然不在政界,而其结合团体,互相标榜,互相呼应,互相指使之能力,对于所在之一界,实不啻政界中"全盛时代之督军"!其中心点则在上海,羽党散布于四处。

这等人,恒以"融会中西,斟酌新旧"八字为其营业之商标!然其旧学问,固未尝能做得一篇通顺之文字;其新学问,亦什九未能读毕日本速成师范之讲义。以此之故,彼辈虽日日倡言保存国粹,灌输新知,而其结果,则凡受彼辈熏陶者,文字必日趋于不通,知识必日趋于浮浅。问其故,则曰:"高深之旧学,与玄妙之新知,均非普通人所能领受。我但致力于'普及'而已。"呜呼!何颜之厚!诸公纵善于文过,岂能以一手掩尽天下目,以为中国四万万人中,竟无一人能在诸公之大著作中,于文字上指斥其不通,于材料上指斥其陈腐敷衍耶?

这等人,亦有时自知其陋,故每与两种"洋货"——一种是不学无术,而喜出风头之"洋翰林",一种是在华经营滑头的名誉事业之

(七)"这等人"

"Money maker"——相遇,必力与周旋,以资借重。而两种洋货,亦有借助于此等人处。物以类聚,声势益大,其结果遂益形其非驴非马,不成事体。盖第一种洋货,固未能在外洋学得什么;第二种洋货,又悉为外洋学术界思想界所吐弃不屑称道之人物!

这等人,时时在营业上变更节目。这一月是提倡什么,那一月又提倡什么。(都是本其一知半解的眼光,向日本书上剽窃了些皮毛)开会讨论咧,杂志报纸的鼓吹咧,招了人传习咧,报部通饬全国试办咧,朝三暮四,闹得天花乱坠。其实他们本身既没有明白,所提倡的东西,究竟有何真义。更没有顾到提倡以后,有无成效,不过胡哄一下,热热场面,像上海新世界出卖"活怪"一般!

这等人,倘见中国原有的东西,为外国人所赏识,他们便大大的提倡,当作国粹。(其为国粹与否,应当自己辨别,决不能取决于外人)即如自以为能讲老庄哲学的某君。看见日本有人讲究中国"丹田""泥丸宫"之说,他便极意提倡,闹得一班信徒,也有伤风咳嗽的,也有大便带血的,也有打噎放屁的。而某君却已得了个"卫生哲学家"的头衔,竟有人称他"吕仙"了!记得吴稚晖先生的《朏庵客座谈话》里,说有一个瑞典人,因为迷信中国老庄之学,竟要吸起鸦片来,以实行其自然主义,假使"吕仙"知道了这件事,也许要著一部书,提倡吸鸦片烟哩!

此外还有许多东西,本应写出,只因头痛已极,不能再写,姑且把他结束起来!

总而言之,这等人自己头脑不清,全无知识,所以要借着"普及"二字,一壁是自掩其丑,一壁是拒绝有知识的人,使"优胜劣败"的公例,不能适用于中国。这是小人的惯技,不足深责。

所可怪者,这等人既然借着"普及"二字来愚人——我并不是说世间"普及"二字可以消灭,但以为这等人拿"普及"二字来限制高等学术思想的进步,那便是荒谬绝伦——人家亦甘受其愚,把"庸人"看作"伟人",而自居于"小庸人"之列,弄得十几年来,各种思想学术,都是半死不活,全无进步。难道中国人的脑筋,竟全被 Devil 迷昏了不成?

今日之中国,不必洪宪临朝,宣统复辟,已有岌岌可危之势,然以救国的根本事业,交托在这等人手里,恐怕未必靠得住罢!

我病中的感想是如此。诸位看了,请平心想,究竟有些道理没有,说中了一两句没有?

(第四卷第四号,一九一八年四月十五日)

（八）斥《灵学丛志》

玄　同

　　近来看见上海《时报》上登有广告说，有《灵学丛志》出版，此志为上海一个乩坛叫做什么"盛德坛"的机关报。其中所列的题目，都是些关于妖精魔鬼的东西。最别致的，有吴稚晖先生去问音韵之学，竟有陆德明江永李登三人降坛，大谈其音韵。我看了这广告，觉得实在奇怪得很，因此花了三角大洋，买它一本来看看，究竟是怎么一回怪事。

　　买了来，大略翻了一遍，真是光怪陆离，无奇不有。不料世界已至二十世纪时代，中国号称共和者亦已七年，还居然出现此种怪事。唉！——现在姑且耐住火性，替它开一篇帐再说。

　　（a）来的有颜回曾参……董仲舒扬雄……朱熹陆九渊这些儒者；"生殖器崇拜"的混账道士（如什么"祖师""真人""仙翁"之类，周朝的列御寇庄周墨翟三位哲学家，也被他们逼了跟着葛洪魏伯阳孙思邈这些混账道士去研究"生殖器崇拜"之学）；杀人放火的关羽张飞；张巡许远岳飞文天祥这些武将；佛教的菩萨；《封神传》一类书里的妖精畜生（如什么马元帅温元帅王灵官柳仙龟帅蛇帅之类）。

　　（b）上列的六种怪物（其中虽有几个正正经经的人，但是死了千百年,现在忽然出现,也只好称他为"怪物"),十之七八都会做诗,诗的格调意境,都是一样。这真是仙人了!我们常人,不要说各人所做的诗不能相同,就是两个人同学杜甫或同学黄庭坚,也是各有各的面目。不料一做仙人,无论中国人、外国人、文人、武人、动物、植物……竟能做出"一套板"的诗来!

(c)颜回孟轲扬雄这些人,都会做齐梁以后的七言绝句。

(d)从颜回起,一切怪物的诗,百分之九十五都用清朝做"试帖诗"时所用的《诗韵合璧》的韵。

(e)其中言偃的诗,把十二侵的"深""音"二字和"十一真"的"新"字通押,董仲舒的诗,把"八庚"的"明""情"二字和"十一真"的"神"字通押。

(f)还有几个怪物做不出四句的,更四个四个地联句,联成一首七绝。

(g)这个乩坛是"孟圣"做"主坛","庄生"和"墨卿"做"代表"。(这称呼和名目,照录原文。他们叫庄周做仙教——就是混账道士的代表,墨翟做佛教耶稣教的代表)说,因为孟轲会"息邪说",所以主坛者"其轲也欤","归孟圣矣乎"。二句皆乩坛原文,在一篇文章里。——我记得"孟圣"所"息"的"邪说"里面,有一部分似乎就是那位官拜"代表"的"墨卿"!

(h)关羽会写几个鸡脚爪样子的怪字,岳飞会写几个香炉样子的怪字("灵学丛"三字都写成香炉样子,独有"志"字糟了,写不像香炉样子)。济颠和尚秉钺仙吏秉笔花月仙史卫瓘四个怪物写的字,笔姿都是一样。还有一个什么长乐金仙画的济颠和尚的怪面孔。

(i)记载门中有曰:"周代诸圣贤书体,多以篆画写今楷,书写

(八)斥《灵学丛志》

时有极艰滞者,且笔画次第,亦不与今人同,盖均是篆书之遗意也。惟孟圣则作大草,劲而雄肆,或者曾加功摹仿后代书体欤!列庄两贤,书法尤奇。"——我看了这段话,实在不好意思多开口,只得说道:"原来如是!"

(j)有一个讲音韵的李登,会写西洋的字母和日本的假名。

帐是开完了,就请大家看看罢!

陆江李三个怪物的《音韵》篇,我细细地拜读了一番,觉得如此讲音韵之学,真和那位王敬轩先生解"人""暑"二字的字形之学可称双绝。(王说见本卷三号)

平上去入四声,是讲一个母音的长短;喉腭舌齿唇五音,是讲子音发音的所自;宫商角徵羽五音,是和那"凡工尺上一四合"一类的名称。齐梁以前,未立"平上去入"的标题,因为"宫、商、角、徵、羽"五字,却好是"平、平、入、上、去"(五音之羽当读去声)五声,所以李登吕静都借此五字来标上平、下平、上、去、入。不料陆德明这个怪物竟说道:

> 四声之说,古来无之……原天地之籁,本具自然,发于喉者谓之宫音,发于腭者谓之角音,发于舌者谓之徵音,发于齿者谓之商音,发于唇者谓之羽音。然古来传者各异其说,或不尽同。沈氏初创,当时天子尚疑之,不见信用,犹存古法……

说四声以前标平仄的记号,竟异想天开,牵到喉腭舌齿唇上去了。你道这种音韵之学,奇也不奇!

其下又云:

司马丸宫反纽,神琪三十六母,更属支离。幸陈第顾炎武戴震段玉裁朱骏声辈维持古韵,不致失坠。

这更是"七支八搭",胡说一阵子昏话。吴稚晖先生问的是"吕静《韵集》之'宫商角徵羽'如何分配",与三十六字母等有什么相干?更和明清以来的古音学家有什么相干?况且清朝的古音学家,有大发明的像江永孔广森王念孙诸人,都不叙入,忽然拉进一个碌碌因人的朱骏声,这也可笑得很。这种"缠夹二先生"真是"少有少见"。

江永的《音韵》篇,满纸胡言乱话,完全在那边说梦话。今录其尤妙之数说如下。略懂音韵之学的人看了,必为之皱眉摇头也。

东方多角音,西方多商音,南方多徵音,北方多羽音,中央兼备四音。而喉音则诸方各具,故音韵之学,当以喉音统其余诸声。

宫隆不过示明宫音之广声,居间则其狭声。宫居又宫中之宫,隆间则宫中之徵。

原音、韵、声三名,各有分则。宫韵中有宫音,宫音中复有宫声。

人籁成于音声,配合声韵,配合皆以双声叠韵,上翻下切,而成音节。

宫居二字,宫隆二字,实具反切之原,为一切声音之母。后世字母,不能出其范围。

欲知其详,《太平御览》《永乐大典》《苑台秘要》诸书可检阅之,必能得其底蕴。

(八)斥《灵学丛志》

　　记得十五年前,我遇见一位"孝廉公",他说他乡试时,答过一个"句股"题目。其实他于句股之学从未研究,瞎七搭八,画了几个圆的、三角的图,填上些"甲乙丙丁"的字,又瞎做了几句说明的话,连他自己也看不懂。现在这位江慎修先生的音韵之学,若和那位先生的句股之学相比,一个是十六两,一个便是一斤。

　　李登的音韵之学却更妙了,——记录者曰:"唐李登,治五方元音字母。"想来这是另外一个李登,不是那做《声类》的李登,因为做《声类》的李登,是曹魏时人也。——兹将其最妙之语录于下方:

　　人为万物之灵,……其心中所欲表宣其念虑之蕴蓄,……必有次第节奏以限制之,此之谓音韵,故言而有节,从口含一。

　　按,"音"字"从口含一",其上半之"辛"(隶省作"立")不知是否衍文。

　　音之寄于人者,本二气之能;虽有出入,其状则理在一揆。如喉音,在中原有四音,其诸异域有过者否。

　　"二气之能",不知当作何解,可是那位朱老爹说的"鬼神者,二气之良能也"吗?"其理……""其诸……"二句,颇觉费解。

　　以五方元音论之,其最简者,莫如二十母;若稍通用,则五十音足矣,合乎大衍之数,真秘藏也:此之谓元音。若殊方之音或不尽同,有所损益,亦至微也:此之谓闰音,言其在余而非正也。各处有各处之闰音,绝不相通;至元音,则亘古今,贯中外,自有天地人类以迄于兹,无或少变;而有依时迁移,域地异陔,彼此不属,茫然不达者:此之谓变音。元音为声律之本,闰音为韵节之佐,变音为音异之源。故论乐必本性情,言礼当适起居,谈音必审闰变。

"元音""闰音""变音"之界说如此,可谓奇绝。不知道"五方"与"殊方"与"域地异陔"如何分别?"亘古今贯中外无或少变"之音,何以有"最简"及"稍通用"之别?且"稍通用"三字,又作何解?"二十""五十"与"损益"如何分别?"绝不相通"与"彼此不属茫然不达"如何分别?"故论乐……"三语,又是"缠夹二先生"的做文章法子。

……此何故欤?岂音韵果无定欤?随时随地,可以任意变易欤?夫然,则音韵可以不作。何苦穷研殚思?是岂知其道者哉?必不然矣。当必有所法式矣。

此段文调,惟有批他八个字道,"黄绢幼妇,外孙齑臼"。至其意义如何,小子不学,真"莫能仰测高深于万一"矣。

故宫转为徵,而舌头舌上,齿尖齿身,轻唇重唇,古今异声,古今混用,非有他异,简繁之殊。其诸不当转而转,不当通而通。准是以例,旋宫之义明矣。

"其诸……"二语,又颇费解。"旋宫之义",实在难"明"。
"音有主音仆音。有母音父音。"请问"主音"与"母音"如何分别。"仆音"与"父音"如何分别?

(八)斥《灵学丛志》

"唇音,滂(b英美法德皆同。パ日本)英美法德之"b",其音竟同于中国之"滂",日本之"パ",不知是几时改良的?又"美文"不知是怎样的东西?——其后有注云,"美附于英",既曰"附",必与英文不同。

俟《丛编》第二册刊行后,当刻列一详表,以汉文三十六母、五十母、二十母、十二母、三六李母、陶母谈文,华岩册二母及明清各家之简字、省笔字、一笔字、快字、官母、奇字等等。各种有关韵学者,亦附其中。

他原来早已知道有人在那里刊行《灵学丛志》,真是仙人了。所叙各种什么"母",什么"字",我见闻浅陋,很多不知道的,只好照原书圈点。明朝的"简字",不知是什么样子?"官母""奇字",更不知是什么东西?

真倒霉!真晦气!我们的《新青年》杂志,并非 W.C.的矮墙,供给人家贴"出卖伤风","天黄黄,地黄黄,我家有个夜啼郎……"这一类把戏的,然而今天竟不能不自贬身价,在这《随感录》中介绍这种怪物的著作。真倒霉!真晦气!

这扶乩的邪说,本期有陈百年先生的《辟"灵学"》一篇,据心理学的真理来驳斥,说:"假使果非有意作伪,在现今心理学视之,纯属扶者之变态心理现象。"陈先生之文,皆以科学的眼光,来评判这些荒诞不经的邪说,有脑筋的人看了,决不至再为什么"灵学"所惑。

惟吴稚晖先生,实为极端提倡科学,排斥邪说之人。这回因为被朋友所拉,动了一点好奇之心,遂致那个什么"盛德坛"上发现这三篇讲音韵的怪文章。在不知其中情形者,对于吴先生此番举动,约有两派议论。一派是头脑清楚的人,说:"怎么吴稚晖也信起扶乩来了!他从前做《新世纪上下古今谈》的思想见识到那里去了呢?"一派是昏头昏脑的人,说:"你看,吴稚晖都相信扶乩了,可见鬼神之事,是的确有的,是应该相信的。"前一派的议论,不过损吴先生个人的价值。后一派的议论,为害于青年前途者甚大。本志以诱导青年为唯一之天职,不可不有所矫正。

矫正之法,陈先生做《辟"灵学"》,固是"正人心,息邪说"的正办,我以为仍以吴先生之言辟之,亦是一法,因为吴先生实在不信此事,即不为"息邪说"计,亦不可不替吴先生辨明。

《灵学丛志》中有吴先生给俞复的一封信,兹录其要语如下:

……昨闻仲哥乃郎又以催眠哄动于甘肃路。鬼神之势大张,国家之运告终,其预兆乎!弟甘心常随畜道以入轮回,不忍见科学不昌,使我家土壁虫张目。先生欲以挽世道人心,于鄙意所属,适得其反……

这不是吴先生反对提倡"灵学"的铁证吗?

扶乩的要是有心作伪,则当科以"左道惑众"之罪,自不消说。如无心作伪,则为扶者之变态心理,决非那些怪物果真降坛,陈先生的论文里已经说得明明白白。若云不信鬼神之吴稚晖曾经亲睹此音韵三篇,故断言鬼神之当信,则吴先生已有上列之宣言,并且我还看见吴先生给蔡孑民先生的信,中有此音韵三篇陈义敷浅,仅可供场屋中对策之用,与音韵之学相去尚远之说(此约举其意非直录吴君原信之语)。如此,则欲以"不信鬼神之人且不得不信,可见圣贤仙佛之降坛必实有其事"之说为词者,其人非愚即诬。我可爱可敬有希望之青年！千万不可随声附和,作此妄想！

呜呼！汉晋以来之所谓道教,实演上古极野蛮时代"生殖器崇拜"之思想。二千年来民智日衰,道德日坏,虽由于民贼之利用儒学以愚民,而大多数之心理举不出道教之范围,实为一大原因。一九〇〇年,竟演出"拳匪"之惨剧。吾人方以为自经此创以后,国人当能生觉悟之心,道教毒焰,或可渐渐澌灭。岂知近年以来,此等"拳匪"余孽,竟公然于光天化日之下,大施其妖术：某也提倡"丹田",某也提倡"灵学"。照此做去,非再闹一次"拳匪"不止,非使中国国民沦于万劫不复的地位不止。

陈独秀先生说："增进自然界之知识,为今日益世觉民之正轨；一切宗教,无裨治化,等诸偶像。"又说："人类将来真实之信解行证,必以科学为正轨；一切宗教,皆在废弃之列。"这话说得最是。我们的意思,以为就是最高等最进化的宗教如佛教耶教,在这二十世纪科学昌明的时代,也是不该迷信。何况那最野蛮的道教,实在是一种"生殖器崇拜"的邪教；既欲觍然自命为"人",决不该再信这种邪教。

青年阿！如其你还想在二十世纪做一个人,你还想中国在二十世纪算一个国,你自己承认你有脑筋,你自己还想研究学问,那么,赶紧鼓起你的勇气,奋发你的毅力,剿灭这种最野蛮的邪教,和这班兴妖作怪胡说八道的妖魔！

（第四卷第五号,一九一八年五月十五日）

（九）斥《灵学丛志》

半 农

由南而北之"丹田"谬说，余方出全力掊击之；掊击之效力未见，而不幸南方又有灵学会若盛德坛、若《灵学》之妖孽丛志出现。

陈百年先生以君子之道待人，于所撰《辟"灵学"》文中，不斥灵学会诸妖孽为"奸民"，而姑婉其词曰"愚民"。余则斩钉截铁，劈头即下一断语曰"妖孽"，曰"奸民作伪，用以欺人牟利"。

就余所见《灵学丛志》第一期观之，几无一页无一行不露作伪之破绽。今于显而易见者——除玄同所述各节外——略举一二，以判定此辈之罪状：

（一）所之扶乩，既有"圣贤仙佛"凭附，当然无论何人可以扶得，何以"记载"栏中一则曰"扶手又生"，再则曰"以试扶手"，甚谓"足征扶手进步，再练旬日，可扶《鬼神论》矣"，及"今日实无妙手，真正难扶"云云。试问所练者何事？——岂非作伪之技，尚未纯熟耶？此之谓"不打自招"！（杨璇扶乩学说中，言"扶乩虽童子或不识字者，苟宿有道缘，或素具虔诚之心，往往应验"。正是自打反手巴掌）

（二）玉英真人《国事判词》中，言"吾民处旁观地位……尚望在位者稍知省悟……庶有以苏吾民之困……"试问此种说话，岂类

"仙人"口吻！想作伪者下笔失检，于不知不觉之中，以自己之身份，为"仙人"之身份，致露出马脚耳。

（三）《性灵卫命真经》之按语中，言"此经旧无译本，系祖师特地编成"。既称无译本，又曰特地编成，其自相矛盾处，三尺童子类能知之。然亦无足怪。米南宫之法帖，既可一变而为米占元，则本此编辑滑头书籍之经验，何难假造一部佛经耶？

（四）佛与耶与墨，教义各不相同，乃以墨子为佛耶代表，岂佛耶两教教徒，肯牺牲其教义以从墨子耶？且综观所请一切圣贤仙佛中，并无耶教教徒到台；则墨子之为耶教代表，究系何人推定？又济祖师《宗教述略》中，开首便言"耶稣之说，并无精深之理，不足深究其故"，中段又言耶教"盛极必招盈满之戒，如我教之当晦而更明也"。此明明是佛教与耶教起哄，墨子尚能以一人而充二教之代表耶？

（五）所请圣贤仙佛，杂入无数小说中人。小说中人，本为小说家杜撰；藉曰世间真有鬼，此等人亦决无做鬼之资格。而乃拖泥带水，一一填入，则作伪者之全无常识可知。吾知将来如有西人到坛，必可请福尔摩斯探案，更可与迦茵马克调弄风情也！

（六）"简章"第九条谓"每逢星期六，任人请求医方，或叩问休咎疑难"。此江湖党"初到扬名，不取分文"之办法也。下言"但须将问题先交坛长坛督阅过，经许可后，方得呈坛"。此则临时作伪不可不经之手续，明眼人当谅其苦心！

（七）关羽卫瑾济颠僧等所作字画，均死无对证，不妨任意涂造；故其笔法，彼此相同，显系出自一人之手。惟岳飞之字，世间流传不少，假造而不能肖合，必多一破绽；故挖空心思，另造一种所谓"香云宝篆"之怪字代之。此所谓"鼯鼠五技而穷"。

（八）玉鼎真人作诗，"独行吟"三字，三易而成，吴稚晖先生在旁匿笑，乩书云，"吾诗本随意凑成……不值大雅一笑也。"真人何其如此虚心，又何其如此老脸！想亦"扶手太生"，临场恍惚，致将拟就之词句忘却，再三修改，始能勉强"凑成"耳！

（九）丁福保以默叩事请答，乩书七绝一首，第一语为"红花绿柏几多年"，后三语模糊不能全读。后云，"此本不可明言，因君以默祷我故，余亦以诗一首报。"此与第六项所举参观之，未有不哑然失笑者。

以上九节，均为妖人作伪之铁证，益以玄同文中所述各节，吾乃深恨世间之无鬼，果有鬼者，妖人辈既出其种种杜撰之技俩以污蔑之，鬼必盐其脑而食其魂！至妖人辈自造之谬论，如丁福保谓禽兽等能见鬼，丁某似非禽兽，不知何由知之。又言鬼之行动如何，饮食如何；丁某似尚未坠入恶鬼道，不知何由知之（友人某君言，"丁某谓身死之后，一切痛苦，皆与灵魂脱离关系；信如其言，世间庸医杀人，当是无上功德"）。至俞复之谓"鬼神之说不张，国家之命遂促"，陆费逵之将其所作《灵魂与教育》之谬论，刊入《教育界》——《教育界》登载此文，正是适如其分，然使知识浅薄之青年见之，其遗毒如何？如更使外人调查中国事情者见之，其对于中国教育及中国人之人格所下之评判为何如？——则吾虽不欲斥之为妖言惑众，不可得矣！

虽然，彼辈何乐为此？余应之曰，其目的有二，而要不外乎牟利：

（一）为间接地牟大利。读者就其"记载"栏中细观之，当知其用意。

（二）为直接地牟小利，而利亦初不甚小。中国人最好谈鬼，今

（九）斥《灵学丛志》

有此投合嗜好之《灵学丛志》应运而生，余敢决其每期销数必有数千份之多，即此造孽之卖书钱已足供数家之温饱。而况会友、会员、正会员、特别会员年纳三元以至五十元之会费，益以迷信者之"随意捐助"，岂非"生财有大道"耶？

呜呼！我过上海南京路吴鉴光倪天鸿之宅。每闻笙箫并奏，铙鼓齐鸣，未尝不服两瞽用心之巧，而深叹伏拜桌下之善男信女之愚！今妖人辈扩两瞽之盛业而大之，欲以全中国之士大夫为伏拜桌下之善男信女，想亦鉴夫他种滑头事业之易于拆穿，不得不谋一永久之生计。惜乎作伪之程度太低，洋洋十数万言之杂志，仅抵得《封神传》中"逆畜快现原形"一语！

（第四卷第五号，一九一八年五月十五日）

（十）韩世昌

独　秀

　　社会之文野，国势之兴衰，以国民识字者之多寡别之，此世界之通论也。吾国人识字者之少，万国国民中，实罕其俦。不但此也，此时北京鼎鼎大名之昆曲名角韩世昌竟至一字不识，又何怪目不识丁之行政长官盈天下也！更何怪不识字之国民遍国中也。

（第五卷第一号，一九一八年七月十五日）

（十一）自由正义与和平

独　秀

德意志以军国主义为厉世界，吾人之所恶也，列国讨之，亦以尊重自由、正义与和平，不得不掊此军国主义之怪物。独不可解者，北京、东京两政府，方极力模仿普鲁士以军阀势力耀武于国中，奈何亦自标扶持自由、正义与和平之旗帜而对德宣战耶？毋怪德人齿冷！

（第五卷第一号，一九一八年七月十五日）

(十二)科学与神圣

独 秀

宇宙间物质的生存与活动以外,世人多信有神灵为之主宰,此宗教之所以成立至今不坏也。然据天文学家之研究,诸星之相毁、相成、相维、相拒,皆有一定之因果法则。据地质学家之研究,地球之成立、发达,其次第井然,悉可以科学法则说明之。据生物学者、人类学者、解剖学者之研究,一切动物,由最下级单细胞动物,以至最高级有脑神经之人类,其间进化之迹,历历可考,各级动物身体组织繁简不同,势力便因之而异。此森罗万象中,果有神灵为之主宰,则成毁任意,何故迟之日久,一无逃于科学的法则耶?有神论者其有以语我!

(第五卷第一号,一九一八年七月十五日)

(十三)学术独立

独　秀

中国学术不发达之最大原因,莫如学者自身不知学术独立之神圣。譬如文学自有其独立之价值也,而文学家自身不承认之,必欲攀附"六经",妄称"文以载道""代圣贤立言",以自贬抑。史学亦自有其独立之价值也,而史学家自身不承认之,必欲攀附《春秋》,着眼大义名分,甘以史学为伦理学之附属品。音乐亦自有其独立之价值也,而音乐家自身不承认之,必欲攀附圣功王道,甘以音乐学为政治学之附属品。医药、拳技亦自有独立之价值也,而医家、拳术家自身不承认之,必欲攀附道术,如何养神,如何炼气,方"与天地鬼神合德",方称"艺而近于道"。学者不自尊其所学,欲其发达,岂可得乎？

(第五卷第一号,一九一八年七月十五日)

(十四)阴阳家

独 秀

吾人不满于儒家者,以其分别男女尊卑过甚,不合于现代社会之生活也。然其说尚平实、近乎情理,其教忠、教孝、教从,倘系施者自动的行为,在今世虽非善制,亦非恶行。故吾人最近之感想,古说最为害于中国者,非儒家,乃阴阳家也。(儒家公羊一派。亦阴阳家之假托也。)一变而为海上方士,再变而为东汉北魏之道士,今之风水、算命、卜卦、画符、念咒、扶乩、炼丹、运气、望气、求雨、祈晴、迎神、说鬼,种种邪僻之事,横行国中,实学不兴,民智日僿,皆此一系学说之为害也。去邪说,正人心,必自此始。

(第五卷第一号,一九一八年七月十五日)

(十五)书局与"进化"

半　农

近来上海广智书局把十几年前出版的各种书籍,登报廉价发卖。我因为它价钱很便宜,便托人去买了几本。买来之后,略略看了一看,觉得所有各书,虽然内容都不十分好,译笔也不大高明,然就当时而论,这一班编译家、出版家,都是极可敬的人物。因为他们心中,都想向前进,不想向后退;都是想做人,不是想做下等动物;都是想求生,不是想求死。若依着进化的程序说,十几年前是如此,十几年后的今日,至少应有二三百种东、西洋名人的著作输入中国来。不料按诸事实,乃大谬不然:天天报纸上所登的新书广告,无非是什么《黑幕大观》《小姊妹罪恶史》,或是红男绿女的肉麻小说,"某生""某翁"的腐败小说;连提倡"丹田"的谬书,扶乩的鬼话,也竟公然出版;最高等的,也不过影印几部宋版、元版的,无用古书,便算空前绝后的大事业了!唉!

(第五卷第一号,一九一八年七月十五日)

（十六）新学与古学

玄 同

　　有人转述一位研究古学的某先生的话道："外国的新学，是不用研究的。我们中国人，只要研究本国的古学便得了。近来的人都说，'中国政治不好，社会不好，眼见得国就要亡了，青年学子非研究新学，改革旧污，不足以救亡。'这话是不对的。要知道就是中国给别国灭了，外国人来做中国的皇帝，我们本来不是中国的官吏，就称'外国大皇帝陛下'，也没有什么不可以，但是到那时候，还该研究我们的古学，不可转旁的念头。"我听了这话，觉得太奇了，便再转述给一个朋友听听。那朋友说："这又何足奇？你看满清入关的时候，一班读书人依旧高声朗诵他的'四书''五经'八股、试帖。那班人的意见，大概以为国可亡、种可奴，这祖宗传下来的国粹是不可抛弃的。现在这位某先生，也不过是率由旧章，这又何足奇？"我乃恍然大悟。——但是我要问问一班青年：你们对于某先生的话，究竟以为怎样呢？

　　　　　　　　　　　　（第五卷第一号，一九一八年七月十五日）

（十七）西装与礼节

玄　同

　　有一位留学西洋的某君对我说道："中国人穿西装，长短、大小、式样、颜色都是不对的，并且套数很少，甚至有一年三百六十五天，天天穿这一套的。这种寒酸乞相，竟是有失身份，叫西洋人看见，实在丢脸。"我便问他道："西洋人的衣服，到底是怎样的讲究呢？"他道："什么礼节，该穿什么衣服，是一点也不能错的。就是常服，也非做上十来套，常常更换不可。此外，如旅行又有旅行的衣服，避暑又有避暑的衣服，这些衣服，是很讲究的，更是一点不能错的。"我又问他道："西洋也有穷人吗？穷人的衣服也有十来套吗？也有旅行、避暑的讲究衣服吗？"他道："西洋穷人是很多。穷人的衣服，自然是不能很多，不能讲究的了，但是这种穷人，社会上很瞧他不起，当他下等人——工人——看待的。"我听完这话，便向某君身上一看，我暗想，这一定是上等人——绅士——的衣服了。某君到西洋留学了几年，居然学成了上等人——绅士——的气派，怪不得他常要拿手杖打人力车夫，听说一年之中要打断好几根手杖呢！车夫自然是下等人，这用手杖打下等人，想必也是上等人的职务，要是不打，大概也是"有失身份"罢！

（第五卷第一号，一九一八年七月十五日）

（十八）昆曲

玄　同

　　两三个月以来，北京的戏剧忽然大流行昆曲，听说这位昆曲大家叫做韩世昌。自从他来了，于是有一班人都说："好了，中国的戏剧进步了，文艺复兴的时期到了。"我说，这真是梦话。中国的旧戏，请问在文学上的价值，能值几个铜子？试拿文章来比戏：二黄西皮好比"八股"；昆曲不过是《东莱博议》罢了，就是进一层说，也不过是"八家"罢了，也不过是《文选》罢了。八股固然该废，难道《东莱博议》、"八家"和《文选》便有代兴的资格吗？吾友某君常说道："要中国有真戏，非把中国现在的戏馆全数封闭不可。"我说这话真是不错。——有人不懂，问我，"这话怎讲"，我说，一点也不难懂。譬如要建设共和政府，自然该推翻君主政府；要建设平民的通俗文学，自然该推翻贵族的艰深文学。那么，如其要中国有真戏，这真戏自然是西洋派的戏，绝不是那"脸谱"派的戏。要不把那扮不像人的人，说不像话的话全数扫除，尽情推翻，真戏怎样能推行呢？如其因为"脸谱"派的戏，其名叫做"戏"，西洋派的戏，其名也叫做"戏"，所以讲求西洋派的戏的人，不可推翻"脸谱"派的戏。那我要请问：假如有人说："君主政府叫做'政府'，共和政府也叫做'政府'，既然其名都叫'政府'，则组织共和政府的人，便不该推翻君主政府。"这句话通不通？

（第五卷第一号，一九一八年七月十五日）

（十九）圣言与学术

独　秀

印度因明学家言，尽论辩之则，统依三量：一曰自心现量，一曰比较量，一曰圣教量。夫现量乃玄妙难言之境，以之立正破邪，将何以喻众？比量乃取众象以求通则，远西归纳论理之术，科学实证之法，是其类也。圣教量者，乃取前代圣贤之言，以为是非之标准也。圣贤之智慧，固加乎并世之常人，然谓其所言无一不周万类而无遗，历百世而不易，有是理乎？倘曰未能，则取其言以为演绎论法之前提，保无断论之陷于巨谬乎？吾国历代论家，多重圣言而轻比量，学术不进，此亦一大原因也。今欲学术兴，真理明，归纳论理之术，科学实证之法，其必代圣教而兴欤。

（第五卷第二号，一九一八年八月十五日）

(二〇)基督教与迷信鬼神

独　秀

　　吾友某君与余言：吾辈虽不赞成基督教，然吾国人若信基督教，岂不愈于迷信鬼神，崇拜动物乎？一日余以此语李石曾先生。李先生则云："宁任其迷信鬼神，崇拜动物，勿希望其信基督教，因鬼神、动物之迷信，较基督教之迷信，浅薄而易解悟也。中国人种种邪说迷信固极可笑，然当以科学真理扫荡之，不当以基督教之迷信代替之。"斯言也，吾无以难之。

（第五卷第二号，一九一八年八月十五日）

(二一)社会裁制力

独 秀

世间事物,皆有善恶两面,社会裁制力亦然。易卜生所攻击者,乃社会裁制力之恶面;若彼贪鄙无耻辈,亦恒为社会所不容,此其善面也。吾中华之社会裁制力,则只有恶面而无善面,故特立独行之士罕若凤毛,贪鄙无耻之人盈天下也。中国社会之不及欧西也以此。

(第五卷第二号,一九一八年八月十五日)

(二二)伪善的基督教国民

独 秀

《兴华杂志》第三十一册录载《美以美会韦会督关于时局之伟论》一文,并附以感言,余读之不得不愤恨基督教国民之伪言欺世也。当吾国与德意志决裂之初,余以正义故,以自由故,以反对武力专制故,固与汪精卫、蔡孑民、张溥泉、王亮畴、王儒堂诸先生热心赞成与德宣战,不惜与吾友马君武、徐李龙诸先生立于反对之地位,君武先生且以余在本志宣布赞成绝德之论文,怒而取消其投稿之约。当时颇以君武为迂怪,及今思之,殊自惭悔也。据《兴华》记者之言,曾热心从事反对对德宣战之运动,使当时与余相见,必有剧烈之争论。今日对于《兴华》记者之言,不得不洒同情之泪矣。余责韦会督之言为伪言欺世,《兴华》记者即或以为过激,然亦必未绝对不表同情也。彼信奉基督教之协约国,动以尊重自由人道,反对德意志之武力专制为旗帜——韦会督有言曰:"为世界自由而战。""德国激起此次大战争,毁坏人类自由,强制他国服从其命令,狂暴无理,自私自利,以致行不顾言,不履行所订条约,不守人类公共法则,蹂躏妇女,虐待残杀无助之孩童,惨杀非战斗无辜之人民,只求得胜,无恶不为。如此之国,是为妖孽。"——却直接间接扶助德意志式之妖孽,横行远东。吾力争自由正义者伏地呻吟可怜之声,尔伪善之基督教国民,其亦闻之否耶?

(第五卷第二号,一九一八年八月十五日)

(二三)信神与保存国粹

独　秀

印度某妇人,孪生二子,其一则生而瞽目者也。妇病濒危,乃许愿于神,献以一子。其后病愈,果以一子弃置河中,饱鳄鱼之腹。由是妇人出入,辄抱其瞽目之子,他人见而异之曰:"何不以此瞽子献神乎?"妇人曰:"是乌乎可!献神之物,为选精良佳品,况一子乎?"(录《兴华》杂志第三十一册第十六页)印度人信神之愚如此。德国普鲁克陀尔福女士,初欲皈依佛教以安心立命,见印度之一喇嘛僧,问改宗佛教之可否。喇嘛僧正襟言曰:"女士莫如学基督教,宗教如言语,弃国语者妄,弃己国之宗教者亦妄。"(见第十五卷第六号《东方杂志》译载之《中西文明之评判》文中)呜呼!此喇嘛僧可为保存国粹大家也矣。诚如其言,则一民族之思想,永应恪守生民之典型,绝无革新之理,此印度人笃旧之念至深,而其国所以日益削弱也。

(第五卷第二号,一九一八年八月十五日)

（二四）被误解的安得森

作　人

凡外国文人，著作被翻译到中国的，多是不幸。其中第一不幸的，要算丹麦诗人"英国安得森"。

中国用单音整个的字，翻译原极为难，即使十分仔细，也只能保存原意，不能传本来的调子。又遇见翻译名家用古文一挥，那更要不得了。他们的弊病，就只在"有自己无别人"，抱定老本领旧思想，丝毫不肯融通，所以把外国异教的著作，都变做斑马文章，孔孟道德。这种优待，就是哈葛得诸公，也挡不住，到了安得森更是绝对的不幸。为什么呢？因为他独一无二的特色，就只在小儿一样的文章，同野蛮一般的思想上。

日前在书铺里，看见一本小说，名叫《十之九》，觉得名称很别致，买来一看，却是一卷童话，后面写道"著作者英国安得森"，内分《火绒箧》《飞箱》《大小克劳势》《翰思之良伴》《国王之新服》《牧童》六篇。我自认是中国的安党，见了大为高兴，但略一检查，却全是用古文来讲大道理。于是不禁代为著作者叫屈，又断定他是世界文人中，最不幸——在中国——的一个人。

我们初读外国文时，大抵先遇见 Grimm 兄弟同 Hans Christian Andersen 的童话。当时觉得这幼稚荒唐的故事，没甚趣味，不过因

（二四）被误解的安得森

为怕自己见识不够，不敢菲薄，却究竟不晓得它好处在哪里。后来涉猎 Folklore 一类的书，才知道 Grimm 童话集的价值：他们兄弟是学者，采录民间传说，毫无增减，可以供学术上的研究。至于 Andersen 的价值，到见了诺威 Boyesen，丹麦 Brandes，英国 Gosse 诸家评传，方才明白：他是个诗人，又是个老孩子（即 Henry James 所说 Perpetual boy），所以他能用诗人的观察，小儿的言语，写出原人——文明国的小儿，便是系统发生上的小野蛮——的思想。Grimm 兄弟的长处在于"述"；Andersen 的长处，就全在"作"。

原来，童话（Märchen）纯是原始社会的产物。宗教的神话，变为历史的世说，又转为艺术的童话，这是传说变迁的大略。所以要是"作"真的童话，须得原始社会的人民，才能胜任。但这原始云云，并不限定时代，单是论知识程度，拜物思想的乡人和小儿，也就具这样资格。原人或乡人的著作，经学者编集，便是 Grimm 兄弟等的书；小儿自作的童话，却从来不曾有过。倘要说有，那便是 Andersen 一人作的一百五十五篇 Histories 了。他活了七十岁，仍是一个小孩子。他因此生了几多误解，却也成全了他，成就一个古今无双的童话作家。除中国以外，他的著作价值，几乎没有一国不是已经明白承认。

上面说 Andersen 童话的特色：一是言语，二是思想。——Andersen 自己说："我著这书，就照着对小儿说话一样，写下来。" Brandes 著丹麦《诗人论》中，说他的书出版之初，世人多反对他，说没有这样著书的。"人的确不是这样著书，却的确是这样说话的。"这用"说话一样的"言语著书，就是他第一特色。Brandes 最佩服他《邻家》一篇的起头：

人家必定想，鸭池里面有重要事件起来了，但其实没有事。所有静睡在水上的,或将头放在水中倒立着——它们能够这样立——的鸭,忽然都游上岸去了。你能看见湿泥上的许多脚印。它们的叫声,远远近近的都响遍了。刚才清澈光明同镜一般的水,现在全然扰乱了……

又如《一荚五颗豆》的起头说:

五颗豆在一个荚里:它们是绿的,荚也是绿的,所以他们以为世间一切都是绿的;这也正是如此。荚长起来,豆也长起来;他们随时自己安排,一排地坐着……

又如《火绒箧》也是 Brandes 所佩服的:

一个兵沿着大路走来——一,二!一,二!他背上有个背包,腰边有把腰刀。他从前出征,现在要回家去了。他在路上,遇见一个老巫:她很是丑恶,她的下唇一直挂到胸前。她说:"兵啊,晚上好!你有真好刀,真大背包!你真是个好兵!你现在可来拿钱,随你要多少。"

再看《十之九》中,这一节的译文:

一退伍之兵,在大道上经过,步法整齐,背负行李,腰挂短刀,战事已息,资遣归家。于道侧邂逅一老巫,面目可怖,未易形容,下唇既厚且长,直拖至颔下。见兵至,乃诱之曰:"汝真英武,汝之刀何其利!汝之行李何其重!吾授汝一诀,可以立地化为富豪,取携甚便……

(二四)被误解的安得森

　　误译与否,是别一问题,姑且不论。但 Brandes 所最佩服,最合儿童心理的"一二一二",却不见了。把小儿的言语,变了大家的古文,Andersen 的特色,就"不幸"因此完全抹杀。

　　Andersen 童话第二特色,就是野蛮的思想——原人和小儿,本是一般见识。Gosse 论他著作,有一节说得极好:

　　Andersen 特殊的想象,使他格外和儿童心思相亲近。小儿像个野蛮,于一切不调和的思想分子,毫不介意,容易承受下去。Andersen 的技术,大半就在这一事:他能很巧妙地,把几种毫不相干的思想,联结在一起。例如他把基督教的印象,与原始宗教的迷信相混合,这技艺可称无二……

　　还有一件相象的道德上的不调和,倘若我们执定成见,觉得极不容易解说。《火绒箧》中的兵,割了老妇的头,偷了她的宝物,忘恩负义极了,却毫无惩罚,他的好运,结局还从他的罪里出来。《飞箱》中商人的儿子,对于土耳其公主的行为,也不正当,但 Andersen 不以为意。小 Klaus 对于大 Klaus 的行为,也不能说是合于现今的道德标准。但这都是儿童本能的特色;儿童看人生,像是影戏:忘恩负义,掳掠杀人,单是并非实质的人形,当着火光跳舞时,映出来的有趣的影。Andersen 于此等处,不是装控作势地讲道理,又敢亲自反抗教室里的修身格言,就是他的魔力的所在。他的野蛮思想使他和育儿室里的天真漫烂的小野蛮相亲近。

　　这么一句话,真可谓"一语破的",不必多加说明了。《火绒箧》中叙兵杀老巫,只有两句:

于是他割去她的头。她在那里躺着！

写一件杀人的事，如此直截爽快，又残酷，又天真漫烂，真可称无二的技术。《十之九》中译云：

忍哉此兵，举刀一挥，老巫之头已落。

其实小儿看此"影戏"中的杀人，未必见得忍，所以 Andersen 也不说忍哉。此外译者依据了"教室里的修身格言"，删改原作之处颇多，真是不胜枚举，《小 Klaus 与大 Klaus》一篇里，尤为厉害。例如，硬叫农妇和助祭做了姊弟，不使大 Klaus 杀他的祖母去卖钱；不把看牛的老人放在袋里，沉到水里上天去，都不知是谁的主意；至于小 Klaus 骗来的牛。乃是"西牛贺洲之牛"！《翰思之良伴》（本名《旅行同伴》）中，山灵（Trold）对公主说："汝即以汝之弓鞋为念！"这岂不是拿着作者任意作耍么？《牧童》中镶边的铃所唱德文小曲：

Ach, du liedor Augustin. （唉，你可爱的奥古斯丁。）
Ailes ist weg, weg, weg. （一切都失掉，失掉，失掉了。）

也不见了，Andersen 的一切特色，"不幸"也都失掉。

Andersen 声名，已遍满文明各国，单在中国不能得到正确理解，本也不关重要。但 Andersen 是个老孩子，他不能十分知道轻重：所以有个小儿在路上叫他一声大 Andersen，他便非常欢喜，同得了一座"北极星勋章"一样；没价值的小报上，说他一句笑话——关于他的相貌！他看了就几乎要哭。如今被中国把他杰作，译成一种没意思的巴德文丛著，(他的希腊神话，今已译出古文。)岂不也要伤心么？我也代他不舒服，就写这几行，不能算是新著批评，不过为这丹麦诗人，说几句公话罢了。

　　附记：Hans Christian Andersen 生于一八〇五年，一八七五年卒。著有小说数种，《即兴诗人》(*Improvisitoren*)最有名，但童话要算是他独擅的著作。《无画的画帖》(*Rilledbog uden Billeder*)记"月"自述所见，凡三十三夜，也是童话的一种，又特别美妙。他的童话全集译本，据我们所晓得的，有英国 Craigie、德国 Mannhardt 两本，最为确实可靠。

（第五卷第三号，一九一八年九月十五日）

(二五)"人"之父

唐　俟

我一直从前,曾见严又陵在一本什么书上,发过议论,书名和原文,都忘记了。大意是:"在北京道上,看见许多孩子,辗转于车轮马足之间,很怕把他们碰死了。又想起他们将来,怎样得了,很是害怕。"其实别的地方,也都如此,不过车马多少不同罢了。现在到了北京这情形还未改变,我也时时发起这样忧虑,一面又佩服严又陵究竟是做过赫胥黎《天演论》的,的确与众不同,是一个十九世纪末年中国感觉锐敏的人。

穷人的孩子,蓬头垢面地在街上转;阔人的孩子,妖形妖势、娇声娇气地在家里转。转得大了,都昏天黑地地在社会上转,同他们的父亲一样,或者还不如。

所以看十来岁的孩子,便可以预料二十年后中国的情形;看二十多岁的青年——他们大抵有了儿子,尊为爹爹了——便可以推测他儿子、孙子,晓得五十年后、七十年后中国的情形。

中国的孩子,只要生,不管他好不好,只要多,不管他才不才。生他的人,不负教他的责任。虽然"人口众多"这一句话,很可以闭了眼睛自负,然而这许多人口,便只在尘土中辗转。小的时候,不把他当人,大了以后,也做不了人。

(二五)"人"之父

中国娶妻早是福气,儿子多也是福气。所有小孩,只是他父母福气的材料,并非将来的"人"的萌芽。所以随便辗转,没人管他。因为无论如何,数目和材料的资格,总还存在。即使偶尔送进学堂,然而社会和家庭的习惯,尊长伴侣的脾气,却多与教育反背,仍然使他与新时代不合。大了以后,幸而生存,也不过"仍旧贯如之何",照例是制造孩子的家伙,不是"人"的父亲。他生了孩子,便仍然不是"人"的萌芽。

最看不起女人的奥国人华宁该尔(Otto Weininger),曾把女人分成两大类:一是母妇,一是娼妇。照这分法,男人便也可分做父男和嫖男两类了。但这父男一类,却又可以分成两种:其一是孩子之父,其一是"人"之父。第一种只会生,不会教,还带点嫖男的气息。第二种是生了孩子,还要想怎样教育,才能使这生下来的孩子,将来成一个完全的人。

前清末年,某省初开师范学堂的时候,有一位大老先生听了,很为诧异。便发愤说:"师何以还须受教,如此看来,还该有父范学堂了!"这位先生,便以为父的资格,只要能生。能生这件事,自然便会,何须受教呢。却不知中国现在,正须父范学堂。这位先生,便须编入初等第一年级。

因为我们中国,所多的是孩子之父,以后是只要"人"之父!

(第五卷第三号,一九一八年九月十五日)

（二六）英雄与时代

孟　和

今年夏天在西山消夏，读了一篇意大利建国者的传记，里头有诗家 Aefieri、文学家 Manzoni、哲学家 Gioberti、威尼斯的恩父 Manin、先知玛志尼、政治家加富尔、骁勇善战的加里波的和贤君 Victor Emmanuel 共七人。这七个人建国的功劳各自不同，各人有各人的长处，各人有各人的功用。意大利的建国，这几个人是缺一不可的。我读了他们平生的事迹，起了无限景慕英雄的心。

我们读传记或读历史，常容易专注在一个人、一个豪杰或是一个奸雄，一个贤人或是一个巨憝。要知一个人生在世上，必定与他生存的环境有相互的影响，有无限的关系。所以要明白一个历史上的人物，考察他的言行，是万不可以把他所处的时势并他所处的环境抛开的。然而这个时势、环境，也并不是天造地设，乃是人类过去的生活积久的结果。一时代的时势、环境、制度等等，都要追溯既往才可以了解。了解了那时代的状况，才可以真明白那历史上的人物，才可以评较那些人物的言行。我们研究意大利建国诸杰的事迹，也当然是不能把他们的时代抛开不管的。

因为我们专注意在一个人，所以就把那大多数的人丢开了。因为只崇拜那轰轰烈烈的英雄，所以就把那些潜晦无名的英雄忘记了。意大利建国固然是首推上边所说的七杰，然而此外还有无数的意大利人名字未必见诸史传，事迹未必传颂万方，可是他们的功绩却不敢说在那七个人之下。那些随从加里波的几番血战的勇士（Garilaldini），最先由加富尔所召集，后来加里波的替他统率的"阿尔布士山中猎队"，同玛志尼共患难的那般"青年意大利"的党人，还有那推戴 Manin 抵抗奥军的威尼斯的市民，都是在诞生意大利王国上有大功的。试想那些有名的英杰，若无此万千无名英雄的通力合作，都向一个共同的目的努力地去做，又哪能够有今天的意大利呢？现在的人，个个都想去做有名的英雄，为自己造出一番轰轰烈烈的声势来，哪里会有共同的目的呢？各人既然都是孜孜于个人的目的，哪里会脱出个人的范围保存那广大的目的——国家的目的，人道的目的——呢？

还有一桩事，我们常容易忽略的，就是英雄尚未显名时代的行为。现在的政客，自拟为中国的加富尔，要知道那贯彻外交政策的加富尔，既没有戴着顾问的虚衔，又没有支着谘议的薪水，匿迹于 Leri 以农业自食其力者十五年。现在的军人也必有以加里波的自喻的，也知道这位出奇制胜的军人，能为人之所不能吗？一八六〇年五月，加里波的同他的一班勇士进攻希西里，全意响应，所向披靡。同年十月，希西里、拿波里两地都平服了。加里波的遵从民意把所攻下的地方，双手奉献于 Piedmont 王（即 Victor Emmanuel）。一切的名誉，一切的馈赠，加里波的一概谢绝不受，借了二百块钱还了旧债，又回到 Caprera 荒岛作农夫的生活去了。那个时候加里波的声名是怎样显赫，他的势力是怎样伟大，然而他竟能拱手把所有的权利都让给旁人，自己回复旧日贫苦的生活去，现在的"伟人"有这样的吗？

（第五卷第三号，一九一八年九月十五日）

(二七)社会风尚

孟和

保定军官学校今年夏天招考新生,原定额数只有二百名,但是投考的竟来了七千人。听说后来陆军部没有法子,在正额以外又多取三百名。这些投考的有什么志向,怀着什么远大的希望,我们猜不透,我们亦就不敢用先天的(Apriori)论法去责备他们或是称赞他们。不过这桩事叫我们要注意的,就是社会风尚这个问题。为什么社会里头造出一种风尚来呢?虽然是膻的,亦要附;虽然是臭的,亦要趋。到底是什么缘故呢?我想,现在倘若有人可以找出这个缘故来,就可以研究救济社会的方法了。

现在要讨论这个问题起来,总要几十万言。我现在只就一时想到的写几句吧。我想,人的行为的动机不是单纯的。一个人为什么做这件事,不是一句话可以包括说的,一定有许多心理的作用:爱啊,惧啊,贪啊,自骄啊,许多的作用在那里时时改变他的行为,扰害他的心思。所以,评定一个人的动机不是容易的事。所以,投考军官学校的不必有同样的动机。然而,有三种事是人人都想的。人总想要活着,还要活着舒服,并且还要大家看得起他。说到这里,不能不考察我们社会的情形了。我们以先的社会,只有读书的、做官的两种人算最高贵。自从科举废了,学堂开了,读书的

（二七）社会风尚

也就没有什么特别荣幸了。现在的官职，虽然有什么国务院记名、道尹记名的花样，但是学堂毕业的还有许多找不到官做的。现在，出身最快、实力最多的就是军官了，所以，投考的这样多并不是什么可怪的现象，差不多一般的人遇见机会可以投考，当然也是报名的。可怪的倒是那遇见机会也不去投考，就是反对社会风尚的那一般人了。

什么就可以叫人不附和那社会风尚呢？宗教家说要信上帝，帝制派说是要复辟或是设虚君制，那实业家就要倡起那物质救国。我想，这个问题也不是这样容易解决的。那转移社会的事情，并没有什么金丹，一服就好的。现在的人要找那 Carlyle 书上所说的"毛利孙的丸药"，那是求远找不到的。(参观 Carlyle 的《过去和现在的》一书) 我想，我们青年人不必学那般名流，专去在嘴上研究那"大政方针"或是救国秘诀，反把自己忘了。我们先就我上边所说的三件事想一想吧。

一、人总要活着　　但是，我们的生命什么样才值得活着呢？

二、活着要舒服　　但是，要什么样的舒服才值得活着呢？

三、要大家看得起　　但是，要世上哪一类的人看得起才值得活着呢？

每个青年人要是对于这个问题分为三层仔细想了，就可以定他自己的人生观。按着自己的人生观去行去，青年对于自己的义务就尽了。我们先盼望把对于自己的义务尽了，再去研究那个社会的大问题吧！

（第五卷第三号，一九一八年九月十五日）

(二八)奉告国民

玄 同

既然叫做共和政体,既然叫做中华民国,那么有几句简单的话要奉告我国民。

民国的主体是国民,绝不是官,绝不是总统。总统是国民的公仆,不能叫做"元首"。

国民既是主体,则国民的利益,须要自己在社会上费了脑筋费了体力去换来。公仆固然不该殃民残民,却也不该仁民爱民。公仆就是有时僭妄起来,不自揣量,施其仁爱;但是做国民的决不该受他的仁爱。——什么叫做仁民爱民呢?像猫主人养了一只猫,天天买鱼腥给它吃,这就是仁民爱民的模型。

既在二十世纪建立民国,便该把法国、美国做榜样,一切"圣功、王道""修、齐、治、平"的鬼话,断断用不着再说。

中华民国既然推翻了自五帝以迄满清四千年的帝制,便该把四千年的"国粹"也同时推翻,因为这都是与帝制有关系的东西。

民国人民,一律平等。彼此相待,只有博爱,断断没有什么"忠、孝、节、义"之可言。

(第五卷第三号,一九一八年九月十五日)

（二九）国粹

玄 同

中华民国成立之后，有一班"大清国"的"伯夷叔齐"，在中华民国的"首阳山"里做那"义不食周粟"——他们确已食了民国之粟，而又不能无"义不食粟"之美名，所以我替他照着旧文，写一个"周"字，可以含糊一点——的"遗老"。这原是列朝"鼎革"以后的"谱"上写明白的，当然应该如此，本不足怪。但是，此外又有一班二三十岁"遗少"，大倡"保存国粹"之说。我且把他们保存国粹的成绩随便数他几件出来：

垂辫；缠脚；吸鸦片烟；叉麻雀（即麻将），打扑克，磕头，打拱，请安；"夏历壬子年——戊午年"；"上巳修禊"；迎神，赛会；研究"灵学"，研究"丹田"；做骈文，"古文"，江西派的诗；临什么"黄太史""陆殿撰"的"馆阁体"字；做"卿卿我我"派，或"某生者"派的小说；崇拜"隐喻褒贬"的"脸谱"；想做什么"老谭""梅郎"的"话匣子"；提倡男人纳妾，以符体制；提倡女人贞节，可以"猗欤盛矣"。

有人说："朋友！你这话讲得有些不对。辫发、鸦片烟、扑克牌之类，难道是国粹吗？"我说："你知其一，未知其二。你要知道，凡是'大清国宣统三年'以前支那社会上所有的东西，都是国粹。你如不信，可以去请教那班'遗老''遗少'，看我这话对不对。"

国粹何以要保存呢？听说这是一国的根本命脉所在。"国于天地，必有与立"的，就是这国粹。要是没有了这国粹，便不像"大清国"的样子，"大清国"就不能保存了。

那么，我要请问先生们：先生们到今天还是如此保存国粹，想来在贵国"宣统三年"以前，先生们一定也是很保存国粹的了。但是，中华民国元年二月十二日那一天，先生们为什么"独使至尊忧社稷"，忍令贵国大皇帝做那"唐虞禅让"的"盛德大业"，不应用这国粹来挽回贵国的"天命"呢？

（第五卷第三号，一九一八年九月十五日）

（三〇）学习西学

玄　同

适用于现在世界的一切科学、哲学、文学、政治、道德，都是西洋人发明的。我们该虚心去学他，才是正办。若说科学是墨老爹发明的；哲学是我国固有的，无待外求；我国的文学，既有《文选》又有"八家"，为世界之冠；周公作《周礼》是极好的政治；中国道德，又是天下第一。那便是发昏做梦。请问如此好法，何以会有什么"甲午一败于东邻，庚子再创于八国"的把戏出现？何以还要讲什么"中学为体，西学为用"的说话？何以还要造船制械，用"以夷制夷"的办法？

（第五卷第三号，一九一八年九月十五日）

(三一)阳历

玄　同

　　有人说,阳历真是没有道理,什么连端午、中秋都没有了,除夕晚上月亮会圆的。这还成个什么样子？我要问他,有了端午、中秋,有什么用处？除夕晚上月亮圆了,有什么坏处？我的意思,以为端午、中秋,正该废除。若要吃箬壳包的糯米、玫瑰白糖馅儿的圆饼,什么时候都可以吃。现在特别定了这两个日子来吃这两样东西,白白地耗费了两天的光阴,已觉荒唐。何况端午还要挂什么没有做过人的鬼的鬼脸,叫做什么钟馗;中秋还要供什么"兔儿爷",磕上一阵子头。这简直是疯子胡闹,当然应该废除,当然应该禁止。

(第五卷第三号,一九一八年九月十五日)

(三二)"脸谱"

玄 同

前几天,我到中央公园里,忽然看见一班人,在中间的拿了一把钢叉,装出种种怪相,前面有敲锣的人,四周有叫"好——好——"的人,把公共的路堵塞了。好容易等他过去,不料后面又有一班人,前面有敲鼓的人,四周也有叫"好——好——"的人。因为四周围住的人太多,我懒得挤进去"瞻仰"中间这位的"道范",因此不知道他是装怎样的怪相。这一班人把公共的路又堵塞了,好容易等他过去。我以为这个后面一定没有什么了,不料"柳暗花明又一村",后面又有更妙的怪相,有一位扮了女人,扭头摆腰,"轻移迈步",打起了老雄猫叫的腔调,装出种种"娉娉婷婷、千娇百媚"的妙相,四周叫"好——好——"的人比前面更多,可是没有人替他敲着锣鼓。这三批人,不但行动极妙,并且还画着极妙的脸。我是学问浅陋,"莫能仰测高深于万一",想来这总是照着"脸谱"临摹的,和清道人临《郑文公碑》可以媲美。并且这种红的、黑的颜色,长的、短的胡子,大的、小的脸盘,种种不同,其中必有绝大道理。一脸之红,荣于华衮,一鼻之白,严于斧钺。正人心,厚风俗,奖忠孝,诛乱贼,胥在于是。请问,我这话对不对?

(第五卷第三号,一九一八年九月十五日)

(三三)科学与鬼话

唐俟

现在有一班好讲鬼话的人,最恨科学,因为科学能叫道理明白,能叫人思路清楚,不许鬼混,所以自然而然地成了讲鬼话的人的对头。于是讲鬼话的人,便须想一个方法排除它。

其中最巧妙的是捣乱。先把科学东扯西拉,掺进鬼话,弄得是非不明,连科学也带了妖气。例如一位大官做的卫生哲学,里面说:

> 吾人初生之一点,实自脐始,故人之根本在脐。……故脐下腹部,最为重要,道书所以称之曰丹田。

要用植物来比人,根须是胃。脐却只是一个蒂,吊了便罢,有甚重要!但这还不过比喻奇怪罢了,尤其可怕的是:

> 精神能影响于血液。昔日德国科布博士发明霍乱(虎力拉)病菌;有某某二博士反对之,取其所培养之病菌,一口吞入,而竟不病。

（三三）科学与鬼话

据我所晓得的，是 Koch 博士发现（查出了前人未知的事物叫发现，创出了前人未知的器具和方法才叫发明）了真虎力拉菌，别人也发现了一种，Koch 说他不是，把他的菌吞了，后来没有病，便证明了那人所发现的，的确不是病菌。如今颠倒转来，当作"精神能改造肉体"的例证，岂不危险已极么？

捣乱得更凶的，是一位神童做的《三千大千世界图说》。他拿了儒、道士、和尚、耶教的糟粕，乱作一团，又密密的插入鬼话。他能看见天上地下的情形，他看见的"地球星"，虽与我们所晓得的，无甚出入，一到别的星系，可是五花八门了。因为他有天眼通，所以本事在科学家之上。他先说道：

今科学家之发明，欲观天文则用天文镜，……然犹不能持此以观天堂、地狱也。究之学问之道如大海然，万不可入海饮一滴水，即自足也。

他虽然也分不出发见和发明的不同，论学问却颇有理。但学问的大海，究竟怎样情形呢？他说：

赤精天……有毒火坑，以水晶盖压之。若遇某星球将坏之时，即去某星球之水晶盖，则毒火大发，焚毁民物。

众星……大约分为三种，曰恒星、行星、流星。……据西学家言，恒星有三十五千万，以小子视之，不下七千万也。……行星共计一百千万大系。……流星之多，倍于行星。……其绕日者，约三十三年一周，每秒能行六十五里。

日面纯为大火。……因其热力极大，人不能生，故太阳星君居焉。

其余怪话还多,但讲天堂的远不及六朝方士的《十洲记》,讲地狱的也不过抄袭《玉历钞传》,这神童算是糟了!另外还有许多感慨的话,说科学害了人。下面一篇《嗣汉六十二代天师正一真人》张元旭的序文,尤为单刀直入,明明白白道出:

自拳匪假托鬼神,致招联军之祸,几至国亡种灭,识者痛心疾首,固已极矣。又适值欧化东渐,专讲物质文明之秋,遂本科学家"世界无帝神管辖,人身无魂魄轮回"之说,奉为国是。俾播印于人人脑髓中,自是而人心之敬畏绝矣。敬畏绝,而道德无根柢以发生矣!放僻邪侈,肆无忌惮,争权夺利,日相战杀,其祸将有甚于拳匪者!……

这简直说是万恶都由科学,道德全靠鬼话,而且与其科学,不如拳匪了。从前的排斥外来学术和思想,大抵专靠皇帝,自六朝至唐宋凡攻击佛教的人,往往说他不拜君父,近乎造反。现在没有皇帝了,却寻出一个"道德"的大帽子,看他何等厉害。不提防想不到的一本绍兴《教育杂志》里面,也有一篇仿古先生的《教育偏重科学毋宁偏重道德》(宁字原文如此,疑是避讳)的论文,他说:

西人以数百年科学之心力,仅酿成此次之大战争。……科学云乎哉?多见其为残贼人道矣!
偏重于科学,则相尚于知能;偏重于道德,则相尚于欺伪。相尚于欺伪,则祸止于欺伪;相尚于知能,则欺伪莫由得而明矣!

(三三)科学与鬼话

虽然不说鬼神为造德根本,至于向科学宣告死刑,却居然两教同心了。所以拳匪的传单上,明白写着:

(孔圣人、张天师)傅言由山东来,赶紧急传,并无虚言!(傅字原文如此,疑传字之误。)

照他们看来,这般可恨可恶的科学世界,怎样挽救呢?《灵学杂志》内俞复先生答吴稚晖书里说过:

鬼神之说不张,国家之命遂促。

可知最好是张鬼神之说了。鬼神为道德根本,也与张天师和仿古先生的意见毫不冲突。可惜近来北京乩坛,又印出一本《感显利冥录》,内有前任北京城隍白知和谛闲法师的问答:

师云:发愿一事,的确要紧。……此次由南方来,闻某处有济公临坛;所说之话,殊难相信。济祖是阿罗汉,见思惑已尽,断不为此。……不知某会临坛者,是济祖否?请示。

乩云:承谕发愿,……谨记斯言。某处坛,灵鬼附之耳。须知灵鬼,即魔道也。(知)此后当发愿驱除此等之鬼。

"师云"的发愿,城隍竟不能懂,却先与某会力争正统。照此看来,国家之命未延,鬼兵先要打仗;道德仍无根底,科学也还该活命了。

其实中国自所谓维新以来,何尝真有科学。现在儒道诸公,却径把历史一味捣鬼、不治人事的恶果,都移到科学身上。也不问什么叫道德，怎样是科学？只是信口开河，造谣生事，使国人格外惑乱，社会上罩满了妖气。以上所引的话，不过随手拈出的几点黑影，此外自大埠以至僻地，还不知有多少奇谈。但即此几条，已足可推测我们周围的空气，以及将来的情形，如何黑暗可怕了。

据我看来，要救治这"几至国亡种灭"的中国，那种"（孔圣人、张天师）传言由山东来"的方法，是全不对症，却只有这鬼话的对头的科学！——不是皮毛的真正科学！——这是什么缘故呢？陈正敏《遁斋闲览》有一段故事（未见原书，据《本草纲目》所引写出。但这也全是道士派编造谣言，并非事实。现在只当他比喻用）说得好：

杨勔中年得异疾，每发语，腹中有小声应之，久渐声大。有道士见之，曰：此应声虫也！但读《本草》取不应者治之。读至雷丸，不应，遂顿服数粒而愈！

（第五卷第四号，一九一八年十月十五日）

（三四）女子解放

作　人

近来读英国 Edward Carpenter 著的《爱的成年》（*Love's Coming-of-age*）关于两性问题，得了许多好教训、好指导。女子解放问题，久经世界识者讨论，认为必要；实行这事，必须以女子经济独立为基础，也是一定的道理。但有一件根本上的难题，能妨害女子经济的独立，把这问题完全推翻，那就是生产。瑞典 Strindberg 著《结婚中改革》（译载本志五卷二号）、《自然的障碍》诸篇，即说此事，但他是厌恶女性的人，不免怀有恶意，笑"改革"之终于失败。Carpenter 却别有"改革"的方法，第四章论女子的自由，有两句说得最好：

我们不可忘记：如无社会上的大改革，女子的解放，也不能完成。如不把我们商贩制度，——将人类的力作，人类的爱情，去交易卖买的制度，——完全去掉，别定出一种新理想新习俗时，女子不能得到真的自由。（五十四页）

他又加上一段小注，意思更为明了：

女子的自由，到底须以社会的共同制度为基础。只有那种制度，能在女子为母的时候，供给养活他，免得去依靠男子专制的意思过活。现在女子力求经济独立，原是好景象，也是现时必要的事；可是单靠这一件，解决不了那个问题，因为在为母的时候，最需帮助，女子在那时，却正不能自己去做活赚钱。(同上)

英国 Havelock Ellis 著《性的进化》(*Evolution in Sex*)，关于这事，也有一节说：

民种的生殖，是社会的职务(a social function)。所以我们断定说：女子生产，因为尽她社会的职务，不能自己养活，社会应该供养她。女子为社会生一新分子，于将来全群利害，极有关系，全群的人对于她，自应起一种最深的注意。古时孕妇有特权，可以随意进园圃去，摘食蔬果，这是一种极健全美丽的本能表现。(十五页)

以上所说的话，都十分切要，女子问题的根本解决，就在这中间。此外方法，如画师的"改革"，不能彻底，遇着"自然的障碍"，终要失败。——但在中国，连画师夫妇那样见识的人，怕还不多。

《爱的成年》第一章论性欲，极多精义。他先肯定人生，承认人类的身体和一切本能欲求，无一不美善洁净。他所最恨的，便是那"卖买人类一切物事的商贩主义，与隐岁遮盖的宗教的伪善"。(十九页)他说明，"对于人身那种不洁的思想，如不去掉，难望世间有自由优美的公共生活"。(同上)从前的人也曾经说过相似的话，Squrgeon 著《英文学上的玄秘主义论》*William Blake* 这一节中说：

(三四)女子解放

人的欲求,如方向正时,以满足为佳。Blake 诗云,"红的肢体,火焰般的头发上,禁戒(Abstinence)播满了沙,但满足的欲求,种起生命与美的果实"。(案此系格言诗第十,原题《柔雪》的第二章。)世上唯有极端纯洁,或是极端放纵的心,才能宣布出这样危险的宗旨来,在 Blake 的教义上,正如 Swindurne 所说,"世间唯一不洁的物,便只是那相信不洁的念"。(百三七页)

Ellis 又著有《新精神》(*The New Spirit*)一书,其中评论美国诗人 Walter Whitman,称述他对于肉体及爱的意见,随后说:

宗教政治上,我们经过了大争斗,总算得到了无价的自由与诚实。但在性的地界内,正同我们道德的和社会的生活上一样,还不能得这幸福。现在还有那种野蛮的传说,经中世教会竭力宣传,流传在世间。把女子当作性的象征,说物事经她接触,就要污秽。Plinius 说:"世上无物,比月经更丑。"到现在这句话还有势力。为什么不放科学的光,到这地方,使我们也得自由与信实呢?因我们对于这一部分的意见如此,就使我们对于人生全体的态度上,也很发生影响。(二百二十六至七页)

Blake 承认"力(Energy)是唯一的生命,从肉体出;理(Reason)便是力的外界。力是永久的悦乐"。(见《天堂与地狱的结婚》中)Whitman 能"把下腹部,与头部胸部同一看待"。Carpenter 的意见,就同他们相似,却更说得明白,又注重实际的一面。他的希望,是在将来社会上,成立一种新理想新生活,能够以自由与诚实为本,改良两性的关系。第八章论自由社会,就是议论这件事。

《爱的成年》系一八九六年出版,在本国销行甚广,别国也多已译出。我本想多译几节,因为没有余暇,所以只能说个大略。

(第五卷第四号,一九一八年十月十五日)

(三五)"保存国粹"

唐　俟

从清朝末年直到现在,常常听人说"保存国粹"这一句话。

前清末年说这话的人,大约有两种:一是爱国志士,一是出洋游历的大官。他们在这题目的背后,各个藏着别的意思。志士说保存国粹,是光复旧物的意思;大官说保存国粹,是教留学生不要去剪辫子的意思。

现在成了民国了,以上所说的两个问题,已经完全消灭。所以我不能知道现在说这话的是哪一流人,这话的背后藏着什么意思了。

可是保存国粹的正面意思,我也不懂。

什么叫"国粹?"照字面看来,必是一国独有、他国所无的事物了。改一句话,便是特别的东西。但特别未必定是好,何以应该保存?

譬如一个人,脸上长了一个瘤,额上肿出一颗疮,的确是与众不同,显出他特别的样子,可以算他的"粹。"然而据我看来,还不如将这"粹"割去了,同别人一样的好。

倘说:中国的国粹,特别而且好,又何以现在糟到如此情形?新派摇头,旧派也叹气。

倘说:这便是不能保存国粹的缘故,开了海禁的缘故,所以必须保存。但海禁未开以前,全国都是"国粹",理应好了,何以春秋战国、五胡十六国闹个不休？古人也都叹气。

倘说:这是不学成汤、文武、周公的缘故,何以真正成汤、文武、周公时代,也先有桀纣暴虐,后有殷顽作乱,后来仍旧弄出春秋战国、五胡十六国,闹个不休？古人也都叹气。

我有一位朋友说得好:"要我们保存国粹,也须国粹能保存我们。"

保存我们,的确是第一义。只要问它有无保存我们的力量,不管它是否国粹。

(第五卷第五号,一九一八年十一月十五日)

（三六）我的大恐惧

唐　俟

现在许多人有大恐惧，我也有大恐惧。

许多人所怕的，是"中国人"这名目要消灭；我所怕的，是中国人要从"世界人"中挤出。

我以为"中国人"这名目，绝不会消灭；只要人种还在，总是中国人。譬如埃及犹太人，无论他们还有"国粹"没有，现在总叫他埃及犹太人，未尝改了称呼。可见保存名目全不必劳力费心。

但是想在现今的世界上，协同生长，挣一地位，即须有相当的进步的智识道德品格思想，才能够站得住脚，这事极须劳力费心。而"国粹"多的国民，尤为劳力费心，因为他的"粹"太多。粹太多，便太特别；太特别便难与种种人协同生长，挣得地位。

有人说："我们要特别生长；不然，何以为中国人！"

于是乎从"世界人"中挤出。

于是乎中国人失了世界，却又暂时仍要在这世界上住！——这便是我的大恐惧。

（第五卷第五号，一九一八年十一月十五日）

（三七）"打拳"

鲁　迅

近来颇有许多人，在那里竭力提倡打拳。记得先前也曾有过一回，但那时提倡的，是满清王公大臣；现在却是民国的教育家。位分略有不同。至于他们的宗旨，是一是二，局外便不得而知。

现在那班教育家把"九天玄女传与轩辕黄帝，轩辕黄帝传与尼姑"的老方法，改称"新武术"，又称"中国式体操"，叫青年去练习。听说其中好处甚多，重要的举出两种来是：

一、用在体育上。据说中国人学了外国体操，不见效验，所以须改习本国式体操（即打拳）才行。依我想来：两手拿着外国铜锤或木棍，把手脚左伸右伸的，大约于筋肉发达上，也应有点"效验"。无如竟不见效验！那自然只好改途去练"武松脱铐"那些把戏了。这或者因为中国人生理上与外国人不同的缘故。

二、用在军事上。中国人会打拳，外国人不会打拳。有一天见面对打，中国人得胜，是不消说的了。即使不把外国人"板油扯下"，只消一阵"乌龙扫地"，也便一齐扫倒，从此不能爬起。无如现在打仗，总用枪炮。枪炮这件东西，中国虽然"古时也已有过"，可是此刻没有了。藤牌操法，又不练习，怎能御得枪炮？我想！（他们不曾说明，这是我的"管窥蠡测"）打拳打下去，总可达到"枪炮打

(三七)"打拳"

不进"的程度(即内功)。这件事从前已经试过一次,在一千九百年,可惜那一回算是名誉的完全失败了!且看这一回如何。

(第五卷第五号,一九一八年十一月十五日)

(三八)"个人的自大"与"合群的自大"

鲁　迅

中国人向来有点自大——只可惜没有"个人的自大",都是"合群的、爱国的自大",这便是文化竞争失败之后,不能再见振拔改进的原因。

"个人的自大",就是独异,是对庸众宣战。除精神病学上的夸大狂外,这种自大的人,大抵有几分天才,——照 Nordau 等说,也可说就是几分狂气。他们必定自己觉得思想见识高出庸众之上,又为庸众所不懂,所以愤世嫉俗。新新变成厌世家,或"国民之敌"!但一切新思想,多从他们出来,政治上、宗教上、道德上的改革,也从他们发端。所以多有这"个人的自大"的国民,真是多福气!多幸运!

"合群的自大""爱国的自大",是党同伐异,是对少数的天才宣战;——至于对别国文明宣战,却尚在其次。他们自己毫无特别才能,可以夸示于人,所以把这国拿来做个影子。他们把国里的习惯制度,抬得很高,赞美的了不得;他们的国粹,既然这样有荣光,他们自然也有荣光了!倘若遇见攻击,他们也不必自去应战,因为这种蹲在影子里张目摇舌的人,数目极多。只须用 Mob 的长技,一阵乱噪,大可制胜。胜了,我是一群中的人,自然也胜了;若败了时,

(三八)"个人的自大"与"合群的自大"

一群中有许多人,未必是我受亏。大凡聚众滋事时,多具这种心理,也就是他们的心理。他们举动,看似猛烈,其实却很卑怯。至于所生结果,则复古尊王,扶清灭洋等等,已领教得多了。所以多有这"合群的、爱国的自大"的国民,真是可哀!真是不幸!不幸中国偏只多这一种自大,古人所作、所说的事,没一件不好,遵行还怕不及,怎敢说到改革?这种爱国的自大家的意见,虽各派略有不同,根底总是一致。计算起来,可分作下列五种:

甲云:"中国地大物博,开化最早;道德天下第一。"这是完全自负。

乙云:"外国物质文明虽好,中国精神文明更好。"

丙云:"外国的东西,中国都已有过;某种科学,即某子所说的云云。"这两种都是"古今中外派"的支流。依据张之洞的格言,以"中学为体,西学为用"的人物。

丁云:"外国也有叫花子,——(或云)也有草舍——娼妓——臭虫。"这是消极地反抗。

戊云:"中国便是野蛮的好。"又云:"你说中国思想昏乱,那正是我民族所造成的事业的结晶。从祖先昏乱起,直要昏乱到子孙;从过去昏乱起,直要昏乱到未来。……(我们是四万万人)你能把我们灭绝么?"这比"丁"更进一层,不去拖人下水,反以自己的丑恶骄人。至于口气的强硬,却很有《水浒传》中牛二的态度。

五种之中,甲乙丙丁的话,虽然已很荒谬,同戊比较,尚觉情有可原,因为他们还有一点好胜心存在。譬如衰败人家的子弟,看见别家兴旺,多说大话,摆出大家架子;又或寻求人家一点破绽,解他自己的嘲,固然极是可笑。但比那一种掉了鼻子,还说是祖传老病、夸示于众的人,总要算略高一步了。

戊派的爱国论最晚出，我听了也最寒心。这不但因其居心可怕，实因他所说的更为实在的缘故。昏乱的祖先，养出昏乱的子孙，正是遗传的定理。民族根性造成之后，无论好坏，改变都不容易。法国 G. Le Bon 著《民族进化的心理》中，说及此事道，原文已忘，今但举其大意："我们一举一动，虽似自主，其实多受死鬼的牵制。将我们一代的人，和先前几百代的鬼比较起来，数目上就万不能敌了。"我们几百代的祖先里面，昏乱的人，定然不少。有讲道学的儒生，也有讲阴阳五行的道士；有静坐炼丹的仙人，也有打脸打把子的戏子。所以我们现在虽想好好做"人"，难保血管里的昏乱分子不来作怪，我们也不由自主，一变而为研究丹田脸谱的人物，这真是大可寒心的事。但我总希望这昏乱思想遗传的祸害，不至于有梅毒那样猛烈，竟至百无一免。即使同梅毒一样，现在发明了六百零六，肉体上的病，既可医治；我希望也有一种七百零七的药，可以医治思想上的病。这药原来也已发明，就是"科学"一味。只希望那班精神上掉了鼻子的朋友，不要插着"祖传老病"的旗号来反对吃药，中国的昏乱病，便也总有痊愈的一天。祖先的势力虽大，但如从现代起，立意改变，扫除了昏乱的心思，和助成昏乱的物事（儒道两派的文书）再用了对症的药，即使不能立刻奏效，也可把那病毒略略掺淡。如此几代之后，待我们成了祖先的时候，就可以分得昏乱祖先的若干势力，那时便有转机，Le Bon 所说的事，也不足怕了。

以上是我对于"不长进的民族"的疗救方法，至于"灭绝"一条，那是全不成话，可不必说。"灭绝"这两个可怕的字，岂是我们人类应说的？只有张献忠这等人，曾有如此主张，至今为人类唾骂。而且于实际上发生出什么效验呢？但我有一句话，要劝戊派诸公：

(三八)"个人的自大"与"合群的自大"

"灭绝"这句话,只能吓人,却不能吓倒自然。他是毫无情面,他看见有自向灭绝这条路走的民族,便请他们灭绝,毫不客气。我们自己想活,也希望别人都活。不忍说他人的灭绝,又怕他们自己走到灭绝的路上,把我们带连了也灭绝,所以在此着急。倘使不改现状,反能兴旺,能得真实自由的幸福生活,那就是做野蛮也很好。——但可有人敢答应说"是"么?

(第五卷第五号,一九一八年十一月十五日)

(三九)理想、经验与事实

唐俟

《新青年》的五卷四号,隐然是一本戏剧改良号。我是门外汉,开口不得;但见《再论戏剧改良》这一篇中,有"中国人说到理想,便含着轻薄的意味,觉得理想即是妄想,理想家即是妄人"一段话,却令我发生了追忆,不免又要说几句空谈。

据我的经验,这理想价值的跌落,只是近五年以来的事。民国以前,还未如此;许多国民,也肯认理想家是引路的人。到了民国元年前后,理论上的事情,著著实现,于是理想派——深浅真伪现在姑且弗论——也格外举起头来。一方面却有旧官僚的攘夺政权,以及遗老受冷不过,预备下山,都痛恨这一类理想派,说什么闻所未闻的学理、法理,横亘在前,不能大踏步摇摆。于是沉思三日三夜,竟想出了一种"兵器"。有了这利器,才将"理"字排行的元恶大憝,一律肃清。这利器的大名,便叫"经验"。现在又添上一个雅号,便是高雅之至的"事实"。

经验从哪里得来,便是从清朝得来。经验提高了他的喉咙,含含糊糊说:"狗有狗道理,鬼有鬼道理,中国与众不同,也自有中国道理。道理各各不同,一味理想,殊堪痛恨。"这时候,正是上下一心理财强种的时候,而且带着理字的,又大半是洋货;爱国之士,义当排斥。所以一转眼便跌了价值,一转眼便遭了嘲骂,又一转眼,便连他的影子也同全民时代的教育一般,竟犯了与众共弃的大罪了。

但我们应该明白,人格的平等,也是一种外来的旧理想;现在经验既已登坛,自然株连着化为妄想;理合不分首从,全踏在朝靴的底下,以符列祖列宗的成规。这一踏不觉过了四五年,经验家虽然也增加了四五岁,与素未经验的生物学学理——死——渐渐接近,但这与众不同的中国,却依然不是理想的位家。一大批踏在朝靴底下的学习诸公,早经竭力大叫,说他也得了经验了。

但我们应该明白,从前的经验,是从皇帝脚底下学得;现在与将来的经验,是从皇帝的奴才的脚底下学得。奴才的数目多,心传的经验家也愈多。待到经验家二世的全盛时代,那便理想单被轻薄,理想家单当妄人,还要算是幸福侥幸了。

现在的社会,分不清理想与妄想的区别。再过几时,还要分不清"做不到"与"不肯做到"的区别;要将扫除庭园与劈开地球,浑作一谈。理想家说,这花园有秽气,须得扫除——到那时候,说这宗话的人,也要算在理想党里——他却说道,他们从来在此小便,如何扫除,万万不能,也断乎不可。

那时候,只要从来如此,便是宝贝。即使无名肿毒,倘若生在中国人身上,也便"红肿之处,艳若桃花;溃烂之时,美如乳酪"。国粹所在,妙不可言。那些理想学理法理,既是洋货,自然完全不在话下了。

但最奇怪的,是七年十月下半,忽有许多经验家,理想、经验双全家,经验、理想未定家,都说公理战胜了强权,还向公理颂扬了一番,客气了一顿。这事不但溢出了经验的范围,而且又添上一个理字排行的厌物。将来如何收场，我是毫无经验，不敢妄谈。经验诸公，想也未曾经验，开口不得。

没有法，只好在此提出，请教受人轻薄的理想家了。

（第六卷第一号，一九一九年一月十五日）

（四〇）爱情与苦闷

唐　俟

终日在家里坐，至多也不过看见窗外四角形惨黄色的天，还有什么感？只有几封信，说道："久违芝宇，时切葭思。"有几个客，说道，"今天天气很好"。都是祖传老店的文字语言。写的说的，既然有口无心，看的听的，也便毫无所感了。

有一首诗，从一位不相识的少年寄来，却对于我有意义。

　　　　爱情

我是一个可怜的中国人。爱情！我不知道你是什么。

我有父母，教我育我，待我很好；我待他们，也还不差。我有兄弟姊妹，幼时共我玩耍，长来同我切磋，待我很好；我待他们，也还不差。但是没有人曾经"爱"过我，我也不曾"爱"过他。

我年十九，父母给我讨老婆。于今数年，我们两个，也还和睦。可是这婚姻，是全凭别人主张，别人撮合；把他们一日戏言，当我们百年的盟约。仿佛两个牲口，听着主人的命令："咄，你们好好地住在一块儿罢！"

爱情！可怜我不知道你是什么！

诗的好歹，意思的深浅，姑且勿论。但我说，这是血的蒸气，醒过来的人的真声音。

爱情是什么东西？我也不知道。中国的男女大抵一对或一群——一男多女——地住着，不知道有谁知道。

但从前没有听到苦闷的叫声。即使苦闷，一叫便错；少的老的，一齐摇头，一齐痛骂。

然而无爱情结婚的恶结果，却连续不断地进行。形式上的夫妇，既然全不相关，少的另去姘人宿娼，老的再来买妾：麻痹了良心，各有妙法。所以直到现在，不成问题，但也曾造出一个妒字，略表他们曾经苦心经营的痕迹。

可是东方发白，人类向各民族所要的是"人"——自然也是"人之子"——我们所有的是单是人之子，是儿媳与儿媳之夫，不能献出于人类之前。

可是魔鬼手上，终有漏光的所在，掩不住光明。人之子醒了，他知道了人类间应有爱情，知道了从前一班少的、老的所犯的罪恶，于是起了苦闷，张口发出这叫声。

但在女性一方面，本来也没有罪，现在是做了旧习惯的牺牲。我们既然自觉着人类的道德，良心上不肯犯他们少的、老的的罪，又不能责备异性，也只好陪着做一世牺牲，完结了四千年的旧账。

做一世牺牲，是万分可怕的事；但血液究竟干净，声音究竟醒而且真。

我们能够大叫，是黄莺便黄莺般叫，是鸱鸮便鸱鸮般叫。我们不必学那才从私窝子跨出脚，便说"中国道德第一"的人的声音。

我们还要叫出没有爱的悲哀，叫出无所可爱的悲哀……我们要叫到旧账勾消的时候。

旧账如何勾消？我说："完全解放了我们的孩子！"

(第六卷第一号，一九一九年一月十五日)

(四一)改革

唐　俟

从一封匿名信里看见一句话,是"数麻石片"(原注江苏方言)。大约是没有本领便不必提倡改革,不如去数石片的好的意思。因此又记起了本志通信栏内所载四川方言的"洗煤炭"。想来别省方言中,相类的话还多;守着这专劝人自暴自弃的格言的人,也怕不少。

凡中国人说一句话,做一件事,倘与传来的积习有若干抵触,须一个斤斗便告成功,才有立足的处所,而且被恭维得烙铁一般热。否则免不了标新立异的罪名,不许说话。或者竟成了大逆不道,为天地所不容。这一种人从前本可以夷到九族,连累邻居,现在是受了外来的影响,形式上难于办到。社会上虽然深恶痛绝,却未必对面现出战士,迎头杀来。不过几支暗箭,连声冷笑,掷几粒石子,送几封匿名信罢了。但意志略略薄弱的人便不免因此萎缩,不知不觉地也入了数麻石片党。

所以现在的中国社会上毫无改革,学术上没有发明,美术上也没有创作;至于多人继续地研究前仆后继地探险,那更不必提了。国人的事业,大抵是专谋时式的成功的经营,以及对于一切的冷笑。

但冷笑的人,虽然反对改革,却又未必有保守的能力。即如文字一面,白话固然看不上眼,古文也不甚提得起笔;照他的学说,本该去"数麻石片"了,他却又不然,只是莫名其妙地冷笑。

中国的人,大抵在如此空气里成功,在如此空气里萎缩腐败,以至老死。

我想,人猿同源的学说,大约可以毫无疑义了。但我不懂,何以从前的古猴子,不都努力变人,却到现在还留着子孙,变把戏给人看。还是那时竟没有一匹想站起来学说人话呢?还是虽然有了几匹,却终被社会攻击他标新立异,都咬死了,所以终于不能进化呢?

"尼采式"的超人,虽然太觉渺茫,但就世界现有人种的事实看来,却可以确信将来总有尤为高尚、尤近圆满的人类出现。到那时候,类人猿上面,怕要添出"类猿人"这一个名词。

所以我时常害怕。愿中国青年都摆脱了冷气,只是向上走,不必听自暴自弃流的话。能做事的做事,能发声的发声。有一分热,发一分光;就像萤火一般,也可以在黑暗里发一点光,不必等候炬火。

此后如竟没有炬火,我便是唯一的光。倘若有了炬火,出了太阳,我们自然心悦诚服地消失。不但毫无不平,而且还要随喜赞美这炬火或太阳,因为他照了人类,连我都在内。

我又愿中国青年都只是向上走,不必理会这冷笑和暗箭。尼采说:

真的,人是一个浊浪。应该是海了,能容这浊浪,使他干净。
咄,我教你们超人:这便是海,在他这里,能容下你们的大侮

蔑。(扎拉图如是说的序言第三节)

纵令不过一洼浅水,也可以学学大海;横竖都是水,可以相通。几粒石子,任他们暗地里掷来;几滴秽水,任他们从背后泼来就是了。

这还算不到"大侮蔑"——因为大侮蔑也须有胆力。

(第六卷第一号,一九一九年一月十五日)

(四二)"土人"

鲁　迅

　　听得朋友说,杭州英国教会里的一个医生,在一本医书上做一篇序,称中国人为土人。我当初颇不舒服,仔细再想,现在也只好忍受了。土人一字,本来只说生人在本地的人,没有什么恶意。后来因其所指,多系野蛮民族,所以加添了一种新意义,仿佛成了野蛮人的代名词。他们以此称中国人,原不免有侮辱的意思。但我们现在,却除承受这个名号以外,实是别无方法。因为这类是非,都凭事实,并非单用口舌可以争得的。试看中国的社会里,吃人、劫掠、残杀,人身卖买、生殖崇拜,灵学,一夫多妻,凡有所谓国粹,没一件不与蛮人的文化恰合。拖大辫、吸鸦片,也正与土人的奇形怪状的编发及吃印度麻一样。至于缠足,更要算在土人的装饰法中,第一等的新发明了。他们也喜欢在肉体上做出种种装饰,剜空了耳朵,嵌上木塞;下唇剜开一个大孔,插上一支兽骨,像鸟嘴一般;面上雕出兰花;背上刺出燕子。女人胸前做成许多圆的长的疙瘩,可是他们还能走路,还能做事。他们终是未达一间,想不到缠足这好法子。……世上有如此不知肉体上的苦痛的女人,以及如此以残酷为乐,丑恶为美的男子,真是奇事怪事。

　　自大与好古,也是土人的一特性。英国人乔治葛来任纽西兰

(四二)"土人"

总督的时候,做了一部《多岛海神话》;序里说他著书的目的,并非全为学术,大半是政治上的手段。他说,纽西兰土人是不能同他说理的。只要从他们的神话的历史里,抽出一条相类的事来做一个例,讲给酋长祭师们听,一说便成了。譬如要造一条铁路,倘若对他们说这事如何有益,他们绝不肯听。我们如果根据神话,说从前某某大仙,曾推著独轮车在虹霓上走,现在要仿他造一条路,那便无所不可了(原文已经忘却,以上所说只是大意)。中国十三经、二十五史,正是酋长祭师们一心崇奉的治国平天下的谱,此后凡与土人有交涉的"西哲",倘能人手一编便助成了我们的"东学西渐",很使土人高兴,但不知那译本的序上写些什么呢?

(第六卷第一号,一九一九年一月十五日)

(四三)我们所要求的美术家

鲁 迅

进步的美术家——这是我对于中国美术界的要求。

美术家固然须有精熟的技工,但尤须有进步的思想与高尚的人格。他的制作表面上是一张画或一个雕像,其实是他的思想与人格的表现。令我们看了,不但欢喜赏玩,尤能发生感动,造成精神上的影响。

我们所要求的美术家,是能引路的先觉,不是公民团的首领。我们所要求的美术品,是表记中国民族智能最高点的标本,不是水平线以下的思想的平均分数。

近来看见上海什么报的增刊《泼克》上,有几张讽刺画。他的画法,倒也模仿西洋。可是我很疑惑,何以思想如此顽固,人格如此卑劣,竟同没教育的孩子只会在好好的粉白墙上,写几个"某某是我儿子"一样。可怜外国事物,一到中国便如落在黑色染缸里,无不失了颜色;美术也是其一。学了体格还未匀称的裸体画,便画淫画;学了明暗还未分明的静物画,只能画招牌。皮毛改新,心思仍旧,结果便是如此。至于讽刺画之变为人身攻击的器具,更是无怪了。

说起讽刺画,不禁想到美国画家勃拉特来(L. D. Bradley

1853～1917)了。他专画讽刺画,关于欧战的画,尤为有名;只可惜前年死了。我见过他一张《秋收时之月》(*The Harvest Moon*)的画。上面是一个形如骷髅的月亮,照着荒田;田里一排一排的都是兵的死尸。唉唉,这才算得真的进步的美术家的讽刺画。我希望将来中国也能有一日,出这样一个进步的讽刺画家。

(第六卷第一号,一九一九年一月十五日)

(四四)多余的"典故"

玄 同

近见上海《时报》上有一个广告,其标题为《通信教授典故》,其下云:"……搜罗群书,编辑讲义;用通信教授;每星期教授一百,则每月可得四百余……每月只须纳讲义费大洋四角,预缴三月,只收一元……"有个朋友和我说:"这一来,又不知道有多少青年学生的求学钱要被他们盘去了。"我答道:"一个月破四角钱的财,其害还小。要是买了他这本书来,竟把这四百多个典故熟读牢记,装满了一脑子,以致已学的正当知识被典故驱出脑外;或脑中被典故盘踞满了,容不下正当知识,这才是受害无穷哩!"

我要敬告青年学生:诸君是二十世纪的"人",不是古人的"话匣子"。我们所以要做文章,并不是因为古文不够,要替他添上几篇,是因为要把我们的意思写它出来。所以应该用我们自己的话,写成我们自己的文章;我们的话怎样说,我们的文章就该怎样做。有时读那古人的文章,不过是拿他来做个参考;绝不是要句摹字拟,和古人这文做得一模一样的。至于古人文中所说当时的实事,和假设一事来表示一种意思者,在他的文章里,原是很自然的。我们引了来当典故用,不是肤泛不切,就是索然寡味,或者竟是"驴唇不对马嘴",与事实全然不合。我们做文章,原是要表出我们的意思,现在用古人的事实来替代我们的意思;记忆事实,已经耗去许多光阴,引用时的斟酌,又要煞费苦心。辛辛苦苦做成了,和我们的意思竟不相合——或竟全然相反。请问,这光阴可不是白耗,苦心可不是白费,辛苦可不是白辛苦了吗?唉!少年光阴,最可宝贵,努力求正当知识,还恐怕来不及,乃竟如此浪费;其结果,不但不能得丝毫之益,反而受害——用典故做的文章,比不用典故的要不明白,所以说反而受害——我替诸君想想,实在有些不值得!

(第六卷第一号,一九一九年一月十五日)

（四五）成语与譬喻

玄　同

有人说：典故虽然不该用，但是成语和譬喻似乎可以沿用。我说：这也不能如此笼统说。有些成语和譬喻，如胡适之先生所举的"舍本逐末""无病呻吟"之类，原可以用得。但也不必限于"古已有之"的，就是现在口语里常用的，和今人新造的，都可自由引用；并且口语里常用的，比"古已有之"的更觉得亲切有味。所以"买椟还珠""守株待兔"之类如其可用，则"城头上出棺材"也可用，"凿孔栽须"——这是吴稚晖先生造出来的——也可用。至于与事实全然不合者，则绝不该沿用。如头发已经剪短了，还说"束发受书"；晚上点的是 lamp，还说"挑灯夜读"；女人不缠脚了，还说"莲步珊珊"；行鞠躬或点头的礼，还说"顿首"、"再拜"；除下西洋式的帽子，还说"免冠"……诸如此类，你说用得对不对呢？大概亦不用我再说了——更有在改阳历以后写"夏正"，称现在的欧美诸国为"大秦"者，这是更没有道理了。照此例推，则吃煎、炒、蒸、烩的菜，该说"茹毛饮血"；穿绸缎呢布的衣，该说"衣其羽皮"；住高楼大厅，该说"穴居野处"；买地营葬死人，该说"委之于壑"；制造轮船，该说"刳木为舟，剡木为楫"了。这"茹毛饮血"确是成语，但是请问，文章可以这样做吗？如曰不能，则宜知"夏正""大秦"和"茹毛饮血"

(四五)成语与譬喻

正是一类的成语呀。照此看来,则成语有可用,有不可用,断断不可笼统说是"可以沿用"的(譬喻也有可用与不可用两种)。

(第六卷第一号,一九一九年一月十五日)

（四六）外国偶像

唐　俟

民国八年正月间，我在朋友家里见到上海一种什么报的星期增刊讽刺画；正是开宗明义第一回，画着几方小图，大意是骂主张废汉文的人的。说是给外国医生换上外国狗的心了，所以读罗马字时，全是外国狗叫。但在小图的上面又有两个双钩大字"泼克"，似乎便是这增刊的名目。可是全不像中国话。我因此很觉这美术家可怜。他对于个人的人身攻击姑且不论；学了外国画，来骂外国话；然而所用的名目，又仍然是外国话。讽刺画本可以针砭社会的痼疾。现在施针砭的人的眼光，在一方尺大的纸片上，尚且看不分明，怎能指出确当的方向，引导社会呢？

这几天又见到一张所谓"泼克"，是骂提倡新文艺的人了。大旨是说凡所崇拜的，都是外国的偶像。我因此愈觉这美术家可怜，他学了画，为且画了泼克，竟还未知道外国画也是文艺之一。他对于自己的本业，尚且罩在黑坛子里，摸不清楚，怎能有优美的创作，贡献于社会呢？

但"外国偶像"四个字，却亏他想了出来。

不论中外，诚然都像偶像；但外国是破坏偶像的人多。那影响所及，便成功了宗教改革，法国革命。旧像愈摧破，人类便有进步。

(四六)外国偶像

所以现在才有比利时的义战,与人道的光明。那达尔文、易卜生、托尔斯泰、尼采诸人,便都是近来偶像破坏的大人物。

在这一流偶像破坏者,"泼克"却完全无用。因为他们都有确固不拔的自信,所以决不理会偶像保护者的嘲骂。易卜生说:"我告诉你们,是这个——世界上最强壮有力的人,就是那孤立的人。"(《国民之敌》第五幕,见本志前卷)

但也不理会偶像保护者的恭维。尼采说:

"他们又拿着称赞,围住你嗡嗡地叫;他们地称赞是厚脸皮。他们要接近你的皮肤和你的血。"(札拉图如此说第二卷《市场之蝇》)

这样,才是创作者。我辈即使才力不及,不能创作,也该当学习。即使所崇拜的仍然是新偶像,也总比中国陈旧的好。与其崇拜孔丘、关羽还不如崇拜达尔文、易卜生。与其牺牲于瘟将军、五道神,还不如牺牲于 Apollo。

(第六卷第二号,一九一九年二月十五日)

(四七)本领与学问

唐俟

　　有人做了一块象牙片,半寸方,看去也没有什么。用显微镜照了,却刻着一篇行书的《兰亭序》。我想显微镜的所以制造,本为看那些极细微的自然物的,现在既用人工,何妨便刻在一块半尺方的象牙板上,一目了然,省却用显微镜的工夫呢?

　　张三、李四是同时人。张三记了古典,来做古文。李四又记了古典,去读张三做的古文。我想古典是古人的时事,要晓得那时的事,所以免不了翻着古典。现在两位既然同时,何妨老实说出,一目了然,省却你也记古典,我也记古典的工夫呢?

　　内行的人说,什么话!这是本领,是学问!

　　我想幸而中国人中,有这一类本领学问的人还不多。倘若谁也弄出玄虚,农夫送来了一粒粉,用显微镜照了,却是一碗饭。水夫挑来了水湿过的土,想喝茶的又须挤出湿土里的水,那可直要支撑不住了。

(第六卷第二号,一九一九年二月十五日)

（四八）维新与守旧

唐俟

中国人对于异族，历来只有两样称呼：一样是禽兽，一样是圣上。从没有称他朋友，说他也同我们一样的。

古书里的弱水，竟是骗了我们。闻所未闻的外国人到了，交手几回渐知道"子曰《诗》云"似乎无用。于是乎要维新。

维新以后，中国富强了，用这学来的新，打出外来的新，关上大门，再来守旧。

可惜维新单是皮毛，关门也不过一梦。外国的新事理，却愈来愈多，愈优胜；"子曰《诗》云"也愈挤愈苦，愈看愈无用。于是从两样旧称呼以外，别想了一样新号：便是"西哲"，或曰"西儒"。

他们的称号虽然新了，我们的意见却照旧。因为"西哲"的本领虽然要学"子曰《诗》云"也更要昌明。换几句话，便是学了外国本领，保存中国旧习。本领要新，思想要旧。要新本领旧思想的新人物，驮了旧本领旧思想的旧人物，请他发挥多年经验的老本领。一言以蔽之，前几年谓之"中学为体，西学为用"，这几年谓之"因时制宜，折中至当"。

其实世界上决没有这样如意的事。即使一头牛，连生命都牺牲了，尚且祀了孔便不能耕田，吃了肉便不能榨乳。何况一个人，先须自己活着，又要驮了前辈先生活着。活着的时候，又须恭听前辈先生折中。早上打拱，晚上握手；上午"声光化电"，下午"子曰《诗》云"呢？

　　社会上最迷信鬼神的人尚且只能在赛会这一日抬一回神舆。不知那些学"声光化电"的"新进英贤"能否驮着山野隐逸，海滨遗老，折中一世？

　　"西哲"易卜生盖以为不能，以为不可。所以借了 Brand 的嘴说，All or Nothing！

（第六卷第二号，一九一九年二月十五日）

(四九)进化

唐　俟

凡有高等动物,倘没有过着意外的变故总是从幼到壮,从壮到老,从老到死。

我们从幼到壮,既然毫不为奇的过去了;自此以后,自然也该毫不为奇的过去。

可惜有一种可怜人从幼到壮,居然也毫不为奇的过去了,从壮到老,便有点古怪;从老到死,却更奇想天开,要占尽了少年的道路,吸尽了少年的空气。

少年在这时候,只能先行萎黄;且待将来老了,神经血管一切变质以后,再来活动。所以社会上的状态,先是"少年老成";直待弯腰曲背时期,才更加"逸兴遄飞",似乎从此以后,才上了做人的路。

可是究竟也不能自忘其老,所以想求神仙。大约别的都可以老,只有自己不肯老的人物,总该推中国老先生算一甲一名。

万一当真成了神仙那便永远请他主持,不必再有后进,原也是极好的事。可惜他又究竟不成,终于个个死去,只留下造成的老天地,教少年驮着吃苦。

这真是生物界的怪现象!

我想种族的延长,便是生命的连续,的确是生物界事业里的一大部分。何以要延长呢?不消说是想进化了,但进化的途中,总须新陈代谢。所以新的应该欢天喜地的向前走去,这便是壮;旧的也应该欢天喜地的向前直去,这便是死。各各如此走去,便是进化的路。

老的让开道催促着,奖励着,让他们直去。路上有深渊,便用那个"死"填平了,让他们走去。

少的感谢他填了深渊,给自己走去;老的也感谢他们从我填平的深渊上走去,远了远了。

明白这事,便从幼到壮到老到死,都欢欢喜喜地过去;而且一步一步,多是超过祖先的新人。

这是生物界正当开阔的路!人类的祖先,都已这样做了。

(第六卷第二号,一九一九年二月十五日)

（五〇）"古已有之"

玄　同

　　王闿运说，耶教的十字架，是墨家"钜子"的变相。钜子就是"矩子"。姑勿论矩的形状和十字架的形状是否一样；就算是一样，请问有什么凭据，知道从中国传出去的呢？就算查到了传出去的凭据，请问又有什么大道理在里头？近来中国人常说："大同是孔夫子发明的，民权议院是孟夫子发明的，共和是二千七百六十年前周公和召公发明的，立宪是管仲发明的，阳历是沈括发明的，大礼帽和燕尾服又是孔夫子发明的。"（这是康有为说的）此外如电报，飞行机之类，都是"古已有之"。这种瞎七搭八的附会，不但可笑，并且无耻。请问就算上列种种新道理、新事物，的确是中国传到西洋去的，然而人家学了去，一天一天地改良进步，到了现在的样子。我们自己不但不会改良进步，连老样子都守不住，还有脸来讲这种话吗？这好比一家人家，祖上略有积蓄，子孙不善守成，被隔壁人家盘了去；隔壁人家善于经理，数十年之后，变成了大富翁；这家人家的子弟已经流为乞丐，隔壁人家看了不善，给他钱用，给他饭吃，他还要翘其大拇指以告人曰："这隔壁人家的钱，是用了我们祖宗的本钱去孳生的，我们祖宗原是大富翁哩！"你们听了这话，可要不要骂他无耻？何况隔壁人家的本钱是自己的，并不是盘了这位乞丐的祖宗的钱呢？

（第六卷第二号，一九一九年二月十五日）

(五一)微生虫

玄 同

有一位中国派的医生说:"外国医生动辄讲微生虫。其实哪里有什么微生虫呢? 就算有微生虫,也不要紧。这微生虫我们既看不见,想必比虾子、鱼子还要小。我们天天吃虾子鱼子还吃不死,难道吃了比它小的什么微生虫,倒会死吗?"我想这位医生的话讲得还不好。我代他再来说一句:"那么大的牛,吃了还不会死,难道这么小的微生虫,吃了倒还死吗?"闲话少讲。那位医生自己爱拿微生虫当虾子、鱼子吃,我们原可不必去管他。独是中国这样的医生,恐怕着实不少。病人受了他的教训,去放量吃那些小的虾子鱼子,吃死的人大概也就不少。我想中国人给"青天老爷"和"丘八太爷"弄死了还不够,还有这班"功同良相"的"大夫"来帮忙,也未免太可怜了。但是"大夫"医死了人,人家不但死而无怨,还要敬送"仁心仁术"、"三折之良"、"卢扁再世"的招牌给他,也未免太奇怪了。

(第六卷第二号,一九一九年二月十五日)

（五二）"怪身体"

玄　同

中国人自己说自己身体的构造，很有些特别：心在正中，一面一个肝，一面一个肺，这三样东西的位置，和香炉蜡台的摆法一样。这已经很奇怪了。此外还有什么"三焦"，什么"丹田"，什么"泥丸宫"，什么"气"。身体里还有等于金、木、水、火、土的五样东西，联络得异常巧妙。所生的病，有什么"惊风"，什么"伤寒"，什么"春温"、"冬温"，还有什么"痰裹火"、"火里食"。这样的怪身体，这样的怪病，自然不能请讲生理学的医生来医了。

（第六卷第二号，一九一九年二月十五日）

（五三）内讧

鲁　迅

上海盛德坛扶乩，由"孟圣"主坛，在北京便有城隍白知降坛，说他是"邪鬼"。盛德坛后来却又有什么真人下降，谕别人不得擅自扶乩。

北京议员王讷提读推行新武术，以"强国强种"。中华武士会便率领了一班天罡拳阴截腿之流，大发冤单，说他"抑制暴弃祖性相传之国粹"。

绿帜社提倡"爱世语"，专门崇拜"柴圣"，说别种国际语（如 I do 等）是冒牌的。

上海有一种单行的《泼克》，又有一种报上增刊的《泼克》，后来增刊《泼克》登广告声明要将送错的单行《泼克》的信件撕破。

上海有许多"美术家"，其中的一个美术家，不知如何散了伙，便在《泼克》上大骂别的美术家"盲目盲心"，不知道新艺术真艺术。

以上五种同业的内讧，究竟是什么原因，局外人本来不得而知。但总觉现在时势不很太平，无论新的旧的，都各各起哄。扶乩、打拳那些鬼画符的东西，倒也罢了；学几句世界语，画几笔花，也是高雅的事，难道也要同行嫉妒，必须声明鱼目混珠，雷击火焚么？

我对于那"美术家"的内讧又格外失望。我于美术虽然全是门

(五三)内讧

外汉,但很望中国有新兴美术出现。现在上海那班美术家所做的,是否算得美术,原是杂说;但他们既然自称美术家,总该有多少美术气,即使幼稚也可以希望长成;所以我期望有个美术家的幼虫,不要是似是而非的木叶蝶。如今见了他们两方面的成绩,不免令我对于中国美术前途发生一种怀疑。

画《泼克》的美术家说他们盲目盲心,所研究的只是十九世纪的美术,不晓得有新艺术真艺术。我看这些美术家的作品,不是剥制的鹿,便是畸形的美人,的确不甚高明。恐怕连十八世纪,也未必有这类绘画。说到底,只好算是中国的所谓美术罢了。但那一位画《泼克》的美术家的批评,却又不甚可解。研究十九世纪的美术,何以便是盲目盲心？十九世纪以外的新艺术真艺术,又是怎样？我听人说:后期印象派(Post im pressionism)的绘画,在今日总还不算十分陈旧,其中的大人物,如 Cézanne 与 Van Gogh 等,都是十九世纪后半的人,最迟的到一九〇六年也故去了。二十世纪才是十九年的初头,好像还没有新派兴起。立方派(Cubism)、未来派(Futurism)的主张,虽然对奇,却尚未能确立基础;而且在中国,又怕未必能够理解。在那《泼克》上面,也未见有这一派的绘画。不知那《泼克》美术家的所谓新艺术真艺术,究竟是指着什么？现在的中国美术家诚然心盲目盲,但其弊却并不在单研究十九世纪的美术,——因为据我看来,他们并不研究什么世纪的美术,——所以那《泼克》美术家的话,实在令人难解。

《泼克》美术家满口说新艺术真艺术,想必自己懂得这新艺术真艺术的了。但我看他所画的讽刺画,多是攻击新文艺新思想的;——这是二十世纪的美术么？这是新艺术真艺术么？

(第六卷第三号,一九一九年三月十五日)

（五四）二重思想

唐　俟

中国社会上的状态，简直是将几十世纪缩在一时。自油松片以至电灯，自独轮车以至飞机，自镖枪以至机关炮，自不许"妄谈法理"以至护法，自食肉寝皮的吃人思想以至人道主义，自迎尸拜蛇以至美育代宗教，都摩肩挨背地存在。

这许多事物挤在一处，正如我辈约了燧人氏以前的古人，拼开饭店一般。便是竭力调和，也只能煮个半熟；伙计们既不会同心，生意也自然不能兴旺——店铺总要倒闭。

黄郛氏做的《欧战之教训与中国之将来》中，有一段话，说得很透彻：

七年以来，朝野有识之士每腐心于政教之改良，不注意于习俗之转移；庸讵知旧染不去，新运不生；事理如此，无可勉强者也。外人之评我者，"谓中国人有一种先天的保守性。即或迫于时势，各种制度有改革之必要时；而彼之所谓改革者，决不将旧日制度完全废止乃在旧制度之上，更添加一层新制度。试览前清之兵制变迁史，可以知吾言之不谬焉。最初命八旗兵驻防各地，以充守备之任。及年月既久，旗兵已腐败不堪用；洪秀全起，不得已，征募湘淮两军以应急。从此旗兵、绿营,并肩存在,遂变成二重兵制。甲午战后,知绿营兵力又不可恃,乃复编练新式军队,于是并前二者而变成三重兵制矣。"今旗兵虽已消灭而变面换形之绿营,依然存在,总是二重兵制也。从可知吾国人之无彻底改革能力,实属不可掩之事实。它若贺阳历新年者,复贺阴历新年;奉民国正朔者,仍存宣统年号。一察社会各方面,盖无往而非二重制。即今日政局之所以不宁,是非之所以无定者,简括言之,实亦不过一种"二重思想"在其间作祟而已。

此外如既许信仰自由,却又特别尊孔;既自命"胜朝遗老",却又在民国拿钱;既说是应该革新,却又主张复古。四面八方,几乎都是二三重以至多重的事物,每重又各个自相矛盾。一切人便都在这矛盾中间,互相抱怨着过活,谁也没有好处。

要想进步,要想太平,总得连根的拔去了"二重思想"。因为世界虽然不小,但彷徨的人种,是终竟寻不出位置的。

(第六卷第三号,一九一九年三月十五日)

（五五）"真"与"像"

玄　同

　　昨天在一本杂志上，看见某先生填的一首词，起头几句道：

　　故国颓阳，坏宫芳草，秋燕似客谁依？笳咽严城，漏停高阁，何年翠辇重归？

　　我是不研究旧文学的，这首词里有没有什么深远的意思，我却不管。不过照字面看来，这"故国颓阳，坏宫芳草"两句，有点像"遗老"的口吻；"何年翠辇重归"一句，似乎有希望"复辟"的意思。我和几个朋友谈起这话他们都说我没有猜错。照这样看来，填这首词的人，大概总是"遗老"、"遗少"一流人物了。
　　可是这话说得很不对，因为我认得填这首词的某先生。某先生的确不是"遗老""遗少，"并且还是同盟会里的老革命党。我还记得距今十一年前，这位某先生做过一篇文章，其中有几句道：

　　借使皇天右汉，俾其克缵旧服，斯为吾曹莫大之欣。

　　当初希望"缵旧服"，现在又来希望"翠辇重归"，无论如何说

（五五）"真"与"像"

法，这前后的议论总该算是矛盾罢。

有人说："大约这位某先生今昔的见解不同了。"我说：这话也不对。我知道这位某先生当初做革命党，的确是真心，但是现在也的确没有变节。不过他的眼界很高，对于一班创造民国的人，总不能满意，常常要讥刺他们。他自己对于"选学"工夫又用得很深。因此，对于我们这班主张国语文学的人，更是嫉之如仇，去年春天，我看他有几句文章道：

> 今世妄人，耻其不学。已既生而无目，遂乃憎人之明；已则陷于横溺，因复援人入水；谓文以不典为宗，词以通俗为贵；假于殊俗之论，以陵前古之师；无愧无惭，如羹如沸。此真庾子山所以为"驴鸣狗吠"，颜介所以为"强事饰辞"者也。

但是这种嬉笑怒骂，都不过是名士应有的派头。他决非因为眷恋清廷才来讥刺创造民国的人；他更非附和林纾、樊增祥这班"文理不通的大文豪"才来骂主张国语文学的人。我深晓得他近来的状况，我敢保他现在的确是民国的国民，决不是想做"遗老"，也决不是抱住"遗老"的腿想做"遗少。"

那么，何以这首词里有这样的口气呢？

这并不难懂，这个理由，简单几句话就说得明白的。就是：中国旧文学的格局和用字之类，据说都有一定的"谱"的。做某派的文章，做某体的文章，必须按"谱"填写，才能做得像。像了，就好了。要是不像，那就凭你文情深厚，用字得当，声调铿锵，还是不行，总以"旁门左道"、"野狐禅"论。——所谓像者，是像什么呢？原来是像这派文章的祖师。比如做骈文，一定要像《文选》；做桐城派的古文，一定要像唐宋八大家；学周秦诸子，一定要有几个不认得的字和佶屈聱牙很难读的句子。要是做桐城派古文的人用上几句《文选》的句调，或做骈文的人用上几句八家的句调，那就不像了；不像，就不对了。——这位某先生就是很守这戒律的。他看见从前填词的人对于古迹总有几句感慨怀旧的话；他这首词意的说明，是："晚经玉蝀桥……因和梦窗'西湖先贤堂感旧'韵，以写伤今怀往之情"，那当然要用"故国"……这些字样才能像啊！

有人说："像虽像了，但是和他所抱的宗旨不是相反对吗？"我说："这是新文学和旧文学旨趣不同的缘故。"新文学以真为要义，旧文学以像为要义。既然以像为要义，那便除了取销自己，求像古人，是没有别的办法了。比如现在有人要造钟鼎，自非照那真钟鼎上的古文"依样葫芦"不可。要是把现行的楷书、行书、草书刻上去，不是不像个钟鼎了吗？

(第六卷第三号，一九一九年三月十五日)

（五六）"来了"

唐　俟

近来时常听得人说，"过激主义来了"。报纸上也时常写着，"过激主义来了"。

于是有几文钱的人，很不高兴。官员也着忙，要防华工，要留心俄国人。连警察厅也向所属发出了严查"有无激党设立机关"的公事。

着忙是无怪的，严查也无怪的，但先要问什么是过激主义呢？

这是他们没说明，我也无从知道。我虽然不知道，却敢说一句话："过激主义"不会来，不必怕他，只有"来了"是要来的，应该怕的。

我们中国人，决不能被洋货的什么主义引动，有抹杀它扑灭它的力量。军国民主义么，我们何尝会同别人打仗；无抵抗主义么，我们却是主战参战的；自由主义么，我们连发表思想都要犯罪，讲几句话也为难；人道主义么，我们人身还可以买卖呢。

所以无论什么主义，全扰乱不了中国。从古到今的扰乱，也不听说因为什么主义。试举目前的例，便如陕西学界的布告，湖南灾民的布告，何等可怕！与比利时公布的德兵苛酷情形，俄国别党宣布的列宁政府残暴情形，比较起来他们简直是太平天下了。德国还说是军国主义,列宁不消说是过激主义了;然而我们这中国的残杀淫掠,究竟是根据着什么主义呢?

这便是"来了"来了。来的是主义,主义达了还会罢。倘若单是"来了",他便来不完,来不尽,来的怎样,也不可知。

民国成立的时候,我住在一个小县城里,早已挂过白旗。有一日忽然见许多男女纷纷乱逃,城里的逃到乡下,乡下的逃进城里。问他们什么事,他们答道:"他们说要来了。"

可见大家都单怕"来了",同我一样。那时还只有"多数主义"没有"过激主义"哩。

(第六卷第五号,一九一九年五月)

(五七)现在的屠杀者

唐　俟

高雅的人说:"白话鄙俚浅陋,不值识者一哂之者也。"

中国不识字的人,单会讲话。"鄙俚浅陋"不必说了,"因为自己不通所以提倡白话,以自文其陋"如我辈的人,正是"鄙俚浅陋"也不在话下了。最可叹的是几位雅人,也还不能如《镜花缘》里说的君子国的酒保一般,满口"酒要一壶乎？两壶乎？菜要一碟乎？两碟乎?"的终日高雅。却只能在呻吟古文时,显出高古品格;一到讲话,便依然是"鄙俚浅陋"的白话了。四万万中国人嘴里发出来的声音,竟至总共"不值一哂",真是可怜煞人。

做了人类想成仙,生在地上要上天。明明是现代人,吸着现在的空气,却偏要勒派朽腐的名教,僵死的语言,侮蔑尽现在。这都是"现在的屠杀者"。杀了"现在"也便杀了"将来"。将来是子孙的时代。

(第六卷第五号,一九一九年五月)

(五八) 人心很古

唐俟

慷慨激昂的人说,"世道浇漓,人心不古,国粹将亡,此吾所为仰天扼腕切齿三叹息者也!"

我初听这话也曾大吃一惊。后来翻翻旧书偶然看见《史记·赵世家》里面记着公子成反对主父改胡服的一段话:

> 臣闻中国者,盖聪明徇智之所居也,万物财用之所聚也,贤圣之所教也,仁义之所施也,诗书礼乐之所用也,异敏技能之所试也,远方之所观赴也,蛮夷之所义行也;今王舍此而袭远方之服,变古之教,易古之道,逆人之心,而怫学者,离中国,故臣愿王图之也。

这不是与现在阻抑革新的人的话,丝毫无异么?后来又在《北史》里看见记周静帝的司马后的话:

> 后性尤妒忌,后宫莫敢进御。尉迟迥女孙有美色,先在宫中;帝于仁寿宫见而悦之,因得幸。后伺帝听朝,阴杀之。上大怒,单骑从苑中出,不由径路,入山谷间三十余里;高颎、杨素等追及,扣马谏,帝太息曰:"吾贵为天子,不得自由。"

(五八)人心很古

　　这又不是与现在信口主张自由和反对自由的人，对于自由所下的解释，丝毫无异么？别的例证，想必还多，我见闻狭隘，不能多举了。但即此看来，已可见虽然经过了这许多年，意见还是一样。现在的人心，实在古得很呢。

　　中国人倘能努力再古一点，也未必不能有古到三皇五帝以前的希望，可惜时时遇着新潮流、新空气激荡着没有工夫了。

　　在现存的旧民族中，最合中国式理想的，总要推锡兰岛的Vedde族。他们和外界毫无交涉，也不受别民族的影响，还是原始的状态，真不愧所谓"羲皇上人"。

　　但听说他们人口年年减少，现在快要没有了，这实是一件万分可惜的事。

（第六卷第五号，一九一九年五月）

(五九)"圣武"

唐　俟

我前回已经说过"什么主义都与中国无干"的话了。今天忽然又有些意见,便再写在下面:

我想,我们中国本不是发生新主义的地方,也没有容纳新主义的处所;即使偶然有些外来思想,也立刻变了颜色;而且许多论者,反要以此自豪。我们只要留心译本上的序跋以及各样对于外国事情的批评议论,便能发现我们和别人的思想中间的确还隔着几重铁壁。他们是说家庭问题的,我们却以为他鼓吹打仗;他们是写社会缺点的,我们却说他讲笑话;他们以为好的,我们说来却是坏的。若再留心看看别国的国民性格,国民文学,再翻一本文人的评传,便更能明白别国著作里写出的性情,作者的思想,几乎全不是中国所有。所以不会了解,不会同情,不会感应,甚至彼我间的是非爱憎也免不了得到一个相反的结果。

新主义宣传者是放火人么,也须别人有精神的燃料,才会着火;是弹琴人么,别人心上也须有弦,才会出声;是发声器么,别人也必须是发声器才会共鸣。中国人都有些不很像,所以不会相干。

几位读者怕要生气。说,"中国时常有将性命去殉他主义的人;中华民国以来,也因为主义上死了多少烈士,你何以一笔抹杀

(五九)"圣武"

吓!"这话也是真的。我们从旧的外来思想说罢,六朝的确有许多焚身的和尚,唐朝也有过砍下臂膊布施无赖的和尚;从新的说罢,自然也有过几个人的。然而与中国历史仍不相干。因为历史的结账,不能像数学一般精密,写下许多小数。却只能学粗人算账的四舍五入法门,记一笔整数。

中国历史的整数里面,实在没有什么思想主义在内。这整数只是两种物质,是刀与火,"来了"便是它的总名。

火从北来便逃向南,刀从前来便退向后。一大堆流水账簿,只有这一个模型。倘嫌"来了"的名称不很庄,"刀与火"也触目,我们也可以别想花样,奉献一个谥法,称作"圣武",便好看了。

古时候,秦始皇帝很阔气,刘邦和项羽都看见了。邦说,"嗟乎!大丈夫当如此也!"羽说,"彼可取而代也"!羽要"取"什么呢?便是取邦所说的"如此"。"如此"的程度,虽有不同,可是谁也想取。被取的是"彼",取的是"丈夫"。所有"彼"与"丈夫"的心中便却是这"圣武"的产生所与受纳所。

何谓"如此"?说起来话长。现在简单说,便只是人类中的纯粹兽性方面的欲望的满足——威福、子女、玉帛罢了。然而在一切大小丈夫,却要算最高理想了。我怕现在的人,还被这理想支配着。

大丈夫"如此"之后,欲望没有衰,身体却疲敝了。而且觉得暗中有一个黑影——死——到了身边了。于是无法,只好求仙,这在中国,也要算最高理想了。我怕现在的人,也还被这理想支配着。

求了一通神仙,终于没有见,忽然有些疑惑了。于是要营造山陵保存死尸,想用自己的尸体,永远占据着一块地面。这在中国,也要算一种没奈何的最高理想了。我怕现在的人,也还被这理想支配着。

现在的外来思想,无论如何总不免有些自由平等的气息,互助共存的气息。在我们这单有"我",单想"取彼",单要由我喝尽了一切空间、时间的酒的思想界上,实没有插足的余地。

因此,只须防那"来了"便够了。看看别国抗拒这"来了"的便是有主义的人民。他们因为所信的主义,牺牲了别的一切。用骨肉碰钝了锋刃、血液浇灭了烟焰。在刀光火色衰微中,看出一种薄明的天色,便是新世纪的曙光。

曙光在头上不抬起头,便永远只能见物质的闪光。

(第六卷第五号,一九一九年五月)

（六〇）"危险思想"？

赤

"危险思想！""过激思想！"简直都是无知识的盲话，无脑筋的妄语！

什么是思想？思想有不危险的么？过激两字更不通！什么是激？怎么样便成过？必如何才足不？思想也有不激的么？

凡思想都是捣乱的、革命的。凡思想都是破坏的、可怕的。不论什么特权特典，什么固定的制度，什么舒服的习惯，思想对于他们都是一无情恩。

凡思想都是无政府无法律的。他对什么权势典重既从没有关过心，老人们屡试很有效的智术也岂能在他的意。

死亡，痛苦，绝望，贫，病，命运，固然都是可畏的。但是思想能思想他，思想的能力更伟大。地狱的洞里，思想可以走进去徇察，毫无恐惧。

思想看人不过一个软弱的微尘，围在深渊不可测的静寂里。但人却自负傲然，仿佛宇宙之主似的屹然不可移动。世界实在没有比思想更伟大的东西。什么都可阻障，思想不可阻障。什么都可拘束，思想不可拘束。它实世之光，它实人之头一个荣辉。

劳动者若能自由思想财产，足令富人不安；当兵的若能自由思想战争，足令军律破毁；少年男女若能自由思想性欲，足令"道德"

扫地。一国的人若能自由思想人的本性、政治的组织,足令政治法律一切失其效力。你们怕思想比怕地球上什么东西都厉害,以至怕死怕覆败也没有怕思想怕得很,这也是你们合该。但是思想本来全都如此。你们怎么能分别哪个危险?哪个不危险?你们怎么会挑出哪个过激?哪个激?哪个不激?

凡使人伟大的都是由于企图保持善,哪里有由争着躲避恶?思想那样的能力也岂是胆怯的人能抵抗的?防民之口,甚于防川。倒人之脑岂不甚于倒海?"三军来侵犹可拒,思想来侵不可拒。"虞哥的话更是含着真理。你们历来的教育方法,哪个不是压制思想的,也曾收过什么效?

且,就是你们怕思想,咒骂它,诡谋抵拒它,也岂能缺了它?你们怎么会不再茹毛饮血?你们怎么会不再穴居野处?你们怎么会不再摘拾树叶蔽身?你们怎么会逃了虎狼毒蛇之害?你们怎么会有了书契记载?优雅崇闳峻冽的美术,谨严精密雄伟有条有理有致的科学,是从什么地方出来?相隔几百十万千里的人可以对面语,可以几点钟内通消息!周匝七万多里的地球走一圈不过用四十几日,这是谁的功劳?你们试想想,假使世界一天没思想,世界应当怎么样?其实就在你们"想"抵拒思想,你们怎么能说不是先已思想?"造作之谓思,思非动变不形。"你们若是反对思想,是不是只要因循苟且,全身充满惰性与钝感?宁可世界文明尽成墟,你们不可不安宁?

但是做《一个经济学者之再思》的说过"将来能生存的人是去思去想的人"。

(第六卷第五号,一九一九年五月)

（六一）不满

唐　俟

　　欧战才了的时候，中国人很抱着许多希望。因此现在也发出许多悲观绝望的声音，说"世界上没有人道""人道这句话是骗人的"。有几位评论家，还引用了他们外国论者自己责备自己的文字，来证明所谓文明人者，比野蛮尤其野蛮。

　　这诚然是痛快淋漓的话。但要问：照我们的意见，怎样才算有人道？那答话，想来大约是"收回治外法权，收回租界，退还庚子赔款……"。现在渺茫的多，实在不合人道。

　　但又要问：我们中国的人道怎么样？那答话，想来只能"……"。对于人道只能"……"的人的头上，决不会掉下人道来。因为人道是要各人竭力挣来，培植保养的，不是别人布施捐助的。

　　其实近于真正的人道，说的人还不很多，并且说了还要犯罪。若论皮毛，却总算略有进步。这回虽然是一场恶战，也居然没有"食肉寝皮"，没有"夷其社稷"，而且新兴了十八个小国。就是德国对待比国，都说残暴绝伦，但看比国的公布，也只是囚徒不给饮食，村长挨了打骂，平民送上战线之类。这些事情，在我们中国自己对自己也常有，算什么稀奇？

　　人类尚未长成，人道自然也尚未长成，但总在那里发荣滋长。

我们如果自己问问良心,觉得一样滋长,便什么都不必忧愁,将来总要走同一的路。看罢,他们是战胜军国主义的,他们的评论家还是自己责备自己,有许多不满。不满是向上的车轮,能够载着不自满的人类,向人道前进。

多有不自满的人的种族,永远前进,永远有希望。

多有只知责人不知反省的人的种族,祸哉祸哉!

(第六卷第六号,一九一九年十一月一日)

(六二)恨恨而死

唐俟

古来很有几位恨恨而死的人物。他们一面说些"怀才不遇"、"天道宁论"的话,一面有钱的便狂嫖滥赌,没钱的便喝几十碗酒——因为不平的缘故——于是后来就恨恨而死了。

我们应该趁他们活着的时候问他:诸公!您知道北京离昆仑山几里,弱水去黄河几丈么?火药除了做鞭炮,罗盘除了看风水,还有什么用处?棉花是红的,还是白的?谷子是长在树上,还是长在草上?桑间濮上如何情形,自由恋爱怎样态度?您在半夜里可忽然觉得有些羞,清早上可居然有点悔么?四斤的担,您能挑么?三里的道,您能跑么?

他们如果细细地想,慢慢地悔了,这便很有些希望。万一越发不平,越发愤怒,那便"爱莫能助"。——于是他们终于恨恨而死了。

中国现在的人心中,不平和愤恨分子太多了。不平还是改造的引线,但必须先改造了自己,再来改造社会,改造世世;万不可单是不平。至于愤恨,却几乎全无用处。

愤恨只是恨恨而死的根苗,古人有过许多,我们不要蹈他们的覆辙。

我们更不要借了"天下无公理,无人道"这些话,遮盖自暴自弃的行为,自称"恨人";一副恨恨而死的脸孔,其实并不恨恨而死。

(第六卷第六号,一九一九年十一月一日)

(六三)《与幼者》

唐 俟

做了《我们现在怎样做父亲》的后两日,在《有岛武郎著作集》里,看到《与幼者》这一篇小说,觉得很有许多好的话。

时间不住地移过去。你们的父亲的我,到那时候,怎样映在你们(眼)里,那是不能想像的了。大约像我在现在,嗤笑可怜那过去的时代一般,你们也要嗤笑可怜我的古老的心思,也未可知的。我为你们计,但愿这样子。你们若不是毫不客气的拿我做一个踏脚,超越了我,向着高的远的地方进去,那便是错的。

人间很寂寞。我单能这样说了就算么?你们和我,像尝过血的兽一样,尝过爱了。去罢,为要将我的周围从寂寞中救出,竭力做事罢。我爱过你们,而且永远爱着。这并不是说,要从你们受父亲的报酬,我对于"教我学会了爱你们的你们"的要求,只是受取我的感谢罢了……像吃尽了亲的死尸贮着力量的小狮子一样,刚强勇猛,舍了我,踏到人生上去就是了。

我的一生,就令怎样失败,怎样胜不了诱惑;但无论如何,使你们从我的足迹上寻不出不纯的东西的事,是要做的,是一定做的。你们该从我的倒毙的所在,跨出新的脚步,但哪里走怎样走的事,你们也可以从我的足迹上探索出来。

  幼者阿！将又不幸又幸福的你们的父母的祝福，浸在胸中，上人生的旅路罢。前途很远，也很暗。然而不要怕，不怕的人的面前才有路。

  走罢！勇猛着！幼者阿！

  有岛氏是白桦派，是一个觉醒的，所以有这等话；但里面也免不了带些眷恋凄怆的气息。

  这也是时代的关系。将来便不特没有解放的话，并且不起解放的心，更没有什么眷恋和凄怆；只有爱依然存在。——但是对于一切幼者的爱。

（第六卷第六号，一九一九年十一月一日）

（六四）有无相通

唐　俟

南北官僚虽然打仗，南北的人民却很要好，一心一意的在那里"有无相通"。

北方人可怜南方人太文弱，便教给他们许多拳脚：什么"八卦拳"、"太极拳"，什么"洪家"、"侠家"，什么"阴截腿"、"抱椿腿"、"谭腿"、"戳脚"，什么"新武术"、"旧武术"，什么"实为尽美尽善之体育"、"强国保种在于斯"！

南方人也可怜北方人太简单了，便送上许多文章：什么"……梦"、"……魂"、"……痕"、"……影"、"……泪"，什么"外史"、"趣史"、"秽史"、"秘史"，什么"黑幕"、"现形"，什么"淌牌"、"吊膀"、"拆白"，什么"嚅嘻卿卿我我"、"呜呼燕燕莺莺"、"吁嗟风风雨雨"、"阿再是勒浪麨面孔哉"！

直隶、山东的侠客们，勇士们啊！诸公有这许多筋力，大可以做一点神圣的劳作；江苏、浙江、湖南的才子们，名士们啊！诸公有这许多文才，大可以译几页有用的新书。我们改良点自己，保全些别人；想些互助的方法，收了互害的局面罢！

（第六卷第六号，一九一九年十一月一日）

（六五）暴君的臣民

唐　俟

从前看见清朝几件重案的记载，"臣工"拟罪很严重，"圣上"常常减轻。便心里想：大约因为要博仁厚的美名，所以玩这些花样罢了，后来细想，殊不尽然。

暴君治下的臣民，大抵比暴君更暴；暴君的暴政，时常还不能餍足暴君治下的臣民的欲望。

中国不要提了罢。在外国举一个例：小事件则如 Gogol 的剧本《按察使》，众人都禁止它，俄皇却准开演；大事件则如巡抚想放耶稣，众人却要求将他钉上十字架。

暴君的臣民，只愿暴政暴在他人的头上，他却看着高兴，拿"残酷"做娱乐，拿"他人的苦"做赏玩做慰安。

自己的本领只是"幸免"。

从"幸免"里又选出牺牲，供给暴君治下的臣民的渴血的欲望。但谁也不明白，死的说"阿呀"，活的高兴着。

（第六卷第六号，一九一九年十一月一日）

(六六)生命的路

唐俟

想到人类的灭亡是一件大寂寞大悲哀的事;然而若干人们的灭亡,却并非寂寞悲哀的事。

生命的路是进步的,总是沿着无限的精神三角形的斜面向上走,什么都阻止它不得。

自然赋与人们的不调和还很多,人们自己萎缩堕落退步的也还很多;然而生命决不因此回头。无论什么黑暗来防范思潮,什么悲惨来袭社会,什么罪恶来亵渎人道,人类的渴仰完全的潜力,总是踏了这些铁蒺藜向前进。

生命不怕死,在死的面前笑着跳着,从死里向前进。

许多人们灭亡了,生命仍然笑着跳着,跨过了灭亡的人们向前进。

什么是路?就是从没路的地方践踏出来的,从只有荆棘的地方开辟出来的。

以前早有路了,以后也该永远有路。

人类总不会寂寞,因为生命是进步的,——是乐天的。

昨天,我对我的朋友鲁迅说:"一个人死了,在死的自身和他眷属是悲惨,但在一村一镇的人看起来不算什么;一村一镇的人都死了,在一府一省的人看起来不算什么;就是一省一国一种……"

　　鲁迅很不高兴,说:"这 Natur 的话,不是人们的话。你该小心些。"

　　我想,他的话也不错。

(第六卷第六号,一九一九年十一月一日)

(六七)中国狗和中国人

孟　真

有一天,我见着一位北京警犬学校的人,问他道:"你们训练的狗,单是外国种呢,或者也有中国狗?"他答道:"单是外国种的狗。中国狗也很聪明,它的嗅觉有时竟比外国狗还灵敏,不过太不专心了。教它去探一件事,它每每在半路上,碰着母狗,或者一群狗打架,或者争食物的时候,把它的使命丢开了。所以教不成材。"

我听了这一番话,很有点感触:何以中国狗这样的像中国人呢?不是不聪明,只是缺乏责任心,——他俩一样。中国人"小时了了"的很多,大了,几乎人人要沉沦。留学生在国外的成绩颇不恶,——胡适之先生说,只有犹太人在美国大学的成绩最好,其次便是中国学生,至于真美国人,远不如这两种民族。——然而一经回国,所学的都向爪哇国去了,大约也是遇着了母狗,或者加入一群狗打架,或者争食物,所以就把已经觉悟的使命丢掉了。

中国狗和中国人同生在一个地带,一个社会以内。因为受一样环境的支配,和西洋的狗和人比起来,自必有人狗一致的中国派的趋向。和狗有同样的趋向,并不是可羞的事;所不得了者,这趋向偏偏是无责任心。

我以为中国人的无责任心,真要算达于极点了。单独的行动,百人中有九十九个是卑鄙的。为什么呢？卑鄙可以满足他自身肉体的快乐——他只对这个负责任——至于为卑鄙而发生的许多恶影响，反正他以为在别人身上，他是对于自己以外的不负责任的，所以不顾了。团体的行动，百人中有九十九是过度的，斗狠起来过度。求的目的便在度之外，手段更是过度的。这可就中国历年的政争证明。为什么要这样呢？他以为虽过度了，于他自己无害；成功了他可抢得很多的一份，失败了人人分一份，他所分的一份也不比别人多，所以不择手段。一人得或一团体得，而国家失的事，屡屡地见。现在"鱼行"当道固不必说了，就是前几年也有若干溢出轨道的事；若国会的解散，六年临时参议院的召集；等等，都是以一团体的利害做前提，而把国家的根本组织打散。我很觉得中国人没有民族的责任心，——这就是不怕亡国灭种。我又觉得中国人没有事业的责任心，——所以成就的事业极少。没有私立的学校，公立的学校也多半是等于官署；没有有力的工厂；没有不磨的言论机关。一时要做事业，不过预备他"交游攘臂"的媒介物：一旦求得善价，还是沽出去罢！

中国人所以到了这个地步，不能不说是受历史的支配。专制之下，自然无责任可负；久而久之，自然成遗传性。中国狗所以如此，也是遗传性。中国狗满街走是没有"生活"的。西洋狗是猎物种，当年的日耳曼人就极爱狗，常教狗做事，不专教他跑街，所以责任心不曾忘了。中国人在专制之下，所以才是散沙。西洋人在当年的贵族时代，中流阶级也还有组织，有组织便有生活，有生活便有责任心。中国人没有责任心，也便没有生活；不负责任的活着，自然没有活着的生趣。

我总觉得中国人的民族是灰色的，前途希望很难说。自"五四运动"以后，我才觉得改造的基本的萌芽露出了。若说这"五四运动"单是爱国运动，我便不赞一词了。我对这"五四运动"所以重视的，为它的发点是直接行动，是唤起公众责任心的运动。我是绝不主张国家主义的人，然而人类生活的发挥，全以责任心为基石，所以"五四运动"自是今后偌大的一个平民运动的最先一步。

不过这一线光明也很容易烟消云散。若不把"社会性"用心的培植一番——就是使责任心成习惯——恐怕仍是个不熟而落的果子。

前清末年的改造运动，无论它革命也罢，立宪也罢，总有坚苦不拔、蓬蓬勃勃的气象，总算对于民族责任心有透彻的觉悟。民国元二年间更是朝气瞳瞳。然而一经袁世凯的狂风暴雨，全国人的兽性大发作。官僚武人在那里趁火打劫，青年人便预备着趁火打劫。所以我以为中国人的觉悟还算容易，最难的是把这觉悟维持着，发挥去。

我们自以为是有新思想的人，别人也说我们有新思想。我以为惭愧得很。我们生理上，心理上，驮着二三千年的历史——为遗传性的缘故——又在"中国化"的灰色水里，浸了二十多年；现在住着的，又是神堂，天天必得和庙祝周旋揖让。所以就境界上和习惯上讲去，我们只可说是知道新思想可贵的人，并不是彻底地把新思想代替了旧思想的人。我不曾见过一个能把新思想完全代替了旧思想的人。我们应当常常自反：我们若生在皇帝时代，能不能有一定不做官的决心？学生在科举时代，能不能一定不提考监？能不能有绝俗遗世的魄力？不要和好人比，单和阮嗣宗、李卓吾、袁子才一流败类比，我们有没有他们那样敢于自用的魄力？我们并袁子才的不成才的魄力而亦没有。那么后人看我们，和我们看前人一样。我们现在靦颜自负的觉悟,不和当年提过考监而不中秀才的人发生一种"生不逢时"的感情一样么？有什么了不起呢？这感情能造出什么生活来呢？

所以新思想不是即刻能贯彻了的,我们须得改造习惯。

(第六卷第六号,一九一九年十一月一日)

（六八）"笼统"与"以耳代目"

独　秀

　　头脑不清的人评论事，每每好犯"笼统"和"以耳代目"两样毛病。这两样毛病的根源，用新术语说起来，就是缺乏"实验观念"；用陈语说起来，就是"不求甚解"。这种不求甚解的脾气，和我们中国人思想学术不发达的关系很大，详细说起来，不但太长，而且要惹出许多无谓的是非和可笑的辩论。现在且举一个极浅显的例：几十年前，毫无教育、脑筋极简单的蠢男女，对于一切学堂都叫做"武备学堂"，一切报纸都叫做《申报》，一切新派的人都叫做吃洋教的。像这样不求甚解，像这样"笼统"，这样"以耳代目"，你说可笑不可笑？我真想不到现在北京竟有一班士大夫，攻击蔡孑民先生说他是耶稣教徒。又有一班留美学生，攻击胡适之先生，也说他是一个耶稣教徒。蔡、胡两先生是不是耶稣教徒，他们曾在本志发表的文章可以证明，硬相信他们是耶稣教徒，未免犯了"以耳代目"的毛病。即令他们的确是耶稣教徒，也不算什么错处，拿这个来做攻击的材料，未免犯了"笼统"的毛病。我并不是替蔡、胡二人辩护，他们也用不着我辩护，我所伤感的是中国现在的士大夫、留学生，还是和几十年前毫无教育、脑筋极简单的蠢男女一样！

　　　　　　　　　　（第七卷第一号，一九一九年十二月一日）

(六九)法律与言论自由

独 秀

法律是为保守现在的文明,言论自由是为创造将来的文明。现在的文明,现在的法律,也都是从前的言论自由对于它同时的法律、文明批评、反抗创造出来的。言论自由是父母,法律文明是儿子,历代相传,好像祖孙、父子一样。最奇怪的是旧言论自由造成了现在的法律文明,每每不喜欢想创造将来法律文明的新言论自由出现。好像一个儿子,他从前并不孝顺父母,到了他做父母的时候,他的儿子稍有点意思不和他一样,他便要办他儿子忤逆不孝的罪。认真严办起来,岂不要断绝后代!世界上有一种政府,自己不守法律,还要压迫人民并不违背法律的言论。我们现在不去论它,我们要记住的正是政府一方面自己应该遵守法律,一方面不但要尊重人民法律以内的言论自由,并且不宜压迫人民"法律以外的言论自由"。法律只应拘束人民的行为,不应拘束人民的言论,因为言论要有逾越现行法律以外的绝对自由,才能够发见现在文明的弊端、现在法律的缺点。言论自由若要受法律的限制,那便不自由了;言论若是不自由,言论若是没有"违背法律的自由",那便只能保守现在的文明、现在的法律,绝不能够创造比现在更好的文明,比现在更好的法律。像这种保守停滞的国家社会,不但自己不能独立创造文明,就是跟着别人的文明一同进步,也不容易。

(第七卷第一号,一九一九年十二月一日)

（七〇）过激派与世界和平

独 秀

俄国 Lenin 一派的 Bolsheviki 的由来，乃是从前俄国的社会民主党在瑞典都城 Stockholm 开秘密会议的时候，因为要不要和 Bourgeoisie（工商社会）谋妥协的问题，党中分为两派，Lenin 一班人不主张妥协的竟占了多数，因此叫做 Bolsheviki，英文叫做 major group（多数派），乃是对于少数派（英文叫做 lesser group）Mensheviki 的名称，并非是什么过激不过激的意思。日本人硬叫 Bolsheviki 做过激派，和各国的政府、资本家痛恨他，都是说他扰乱世界和平。Bolsheviki 是不是扰乱世界和平，暂且不去论它，痛恨 Bolsheviki 的各强国，天天在那里侵略弱小国的土地利权，是不是扰乱世界和平，我们暂且也不去论它，那第一叫我们觉悟、叫我们注意的，有两件事：（一）反对 Bolsheviki 的渥木斯克政府，居然无理拿大炮来打我们的军舰，又拿中、俄、蒙条约来抗议蒙古取消自治。（二）反对李普克内希所创斯巴达苦司党（他们的主张和 Bolsheviki 相同，都是马克思派，都想建设劳农政府）的德国的现政府，又在那里鼓吹德意志帝国主义，又在那里讨论扩充海军预算等。扰乱世界和平，自然是极大的罪恶，Bolsheviki 是不是扰乱世界和平，全靠事实证明，用不着我们辩护或攻击。我们冷眼旁观的，恐怕正是反对 Bolsheviki 的先生们出来扰乱世界和平！换一方面说：Bolshevikism 的内容，和他们如果得志思想上有无变迁，能不能叫世界和平，固然没有人能够断定，但是现在反对他们的人，还仍旧抱着军国侵略主义，去不掉个人的、一阶级的、一国家的利己思想（日本压迫朝鲜，想强占青岛的土地和山东的经济利权，就是一个显例），如何能够造成世界和平呢？

（第七卷第一号，一九一九年十二月一日）

(七一) 调和论与旧道德

独 秀

现在社会上有两种很流行而不祥的论调,也可以说是社会的弱点:一是不比较新的和旧的实质上的是非,只管空说太新也不好,太旧也不好,总要新旧调和才好。见识稍高的人,又说没有新旧截然分离的境界,只有新旧调和递变的境界,因此要把"新旧调和论"号召天下。一是说物质的科学是新的好,西洋的好,道德是旧的好,中国固有的好。这两层意见,和我们新文化运动及思想改造上很有关系,我们应当有详细的讨论,现在姑且简单说几句。

新旧因调和而递变,无显明的界线可以截然分离,这是思想文化史上的自然现象,不是思想文化本身上新旧比较的实质。这种现象是文化史上不幸的现象,是人类惰性的作用。这种现象不但在时间上不能截然分离,即在空间上也实际同时存在。同一人数中,各民族思想文化的新旧不能用时代划分;同一民族中,各社会、各分子思想文化的新旧,也不能用时代划分。这等万有不齐、新旧杂糅的社会现象,乃是因为人类社会中惰性较深的劣等民族、劣等分子,不能和优级民族、优级分子同时革新进化的缘故。我们抱着改良社会志愿的人,固然可以据进化史上不幸的事实,叙述它,悲悯它。实在是如此,不忍心幸灾乐祸、得意洋洋地主张它应该如此。譬如人类本能上，有侵略、独占、利己、忌妒、争杀、虚伪、欺诈等等恶德，也没有人能不承认是实在如此，然断乎没有人肯主张应该如此。惰性也是人类本能上一种恶德，是人类文明进化上一种障碍。新旧杂糅、调和缓进的现象，正是这种恶德、这种障碍造成的。所以新旧调和只可说是由人类惰性上自然发生的一种不幸的现象，不可说是社会进化上一种应该如此的道理。若是助纣为虐，把他当做指导社会应该如此的一种主义、主张，那便误尽苍生了。譬如货物买卖，讨价十元，还价三元，最后的结果是五元；讨价若是五元，最后的结果不过二元五角。社会进化上的惰性作用，也是如此。改新的主张十分，社会惰性当初只能够承认三分，最后自然的结果是五分。若是照调和论者的意见，自始就主张五分，最后自然的结果只有二分五。如此社会进化上所受二分五的损失，岂不是调和论的罪恶吗？所以调和论只能看做客观的自然现象，不能当做主观的故意主张。

再说到道德问题，这是人类进化上重要的一件事。现在人类社会种种不幸的现象，大半因为道德不进步。这是一种普通的现象，却不限于西洋、东洋。近几百年，西洋物质的科学进步很快，而道德的进步却跟它不上，这不是因为西洋人只重科学不重道德，乃因为道德是人类本能和情感上的作用，不能像知识那样容易进步。根于人类本能上光明方面的相爱、互助、同情心、利他心、公共心等道德不容易发达，乃是因为受了本能上黑暗方面的虚伪、忌妒、侵夺、争杀、独占心、利己心、私有心等不道德难以减少的牵制。这是人类普通的现象，各民族都是一样，却不限于东洋、西洋。我们希望道德革新，正是因为中国和西洋的旧道德观念都不彻底，不但不彻底，而且有助长人类本能上不道德的黑暗方面的部分，所以东、

（七一）调和论与旧道德

西洋自古到今的历史，每页都写满了社会上、政治上悲惨不安的状态，我们不懂得旧道德的功效在哪里。我们主张的新道德，正是要彻底发达人类本能上光明方面，彻底消灭本能上黑暗方面，来救济全社会悲惨不安的状态，旧道德是我们不能满足的了。所以若说道德是旧的好，是中国固有的好，简直是梦话。旧的中国固有的道德是什么，好处在哪里？勤俭二字用在道德的行为上，自然是新旧道德都有的，不算旧道德的特色。若是用在不道德的行为上，像那刻薄成家的守财奴，勤俭都是他作恶的工具。如何算是道德的标准呢？忠、孝、贞节三样，却是中国固有的旧道德，中国的礼教（祭祀教孝，男女防闲，是礼教的大精神）、纲常、风俗、政治、法律都是从这三样道德演绎出来的；中国人的虚伪（丧礼最甚）、利己，缺乏公共心、平等观，就是这三样旧道德助长成功的；中国人分裂的生活（男女最甚），偏枯的现象（君对于臣的绝对权，政府官吏对于人民的绝对权，父母对于子女的绝对权，夫对于妻、男对于女的绝对权，主人对于奴婢的绝对权），一方无理压制，一方盲目服从的社会，也都是这三样道德教训出来的；中国历史上、现社会上种种悲惨不安的状态，也都是这三样道德在那里作怪。章行严先生说"中国人之思想，动欲为圣贤、为王者、为天吏、作君、作师，不肯自降其身，仅求为社会之一分子，尽我一分子之义务，与其余分子同心戮力，共齐其家，共治其国，共平天下"。这种偏枯专制，没有人己平等的思想，也正是旧道德造成的。这种道德就是达到它"人人亲其亲、长其长"的理想，也只是分裂的生活，利己的社会，去那富于同情心、利他心、相爱互助全社会公同生活的理想，还远得很。所以我们对于中国固有的旧道德，不能满足。西洋的男子游惰好利，女人奢侈卖淫，战争、罢工种种悲惨不安的事，哪一样不是私有制度之下的旧道德造成的？现在他们前途的光明，正在要抛弃私有制度之下的一个人、一阶级、一国家利己主义的旧道德，开发那公有、互助，富于同情心、利他心的新道德，才可望将战争、罢工、好利、卖淫等等悲惨不安的事止住。倘若他们主张物质上应当开新，道德上应当复旧，岂不是"抱薪救火，扬汤止沸"！

（第七卷第一号，一九一九年十二月一日）

（七二）留学生

独　秀

　　日本历史上，有两次派遣留学生的事，一次是古代派到中国，一次是现代派到西洋。这两次的留学生，在日本文化史上，都有重大的位置，简直可以说日本全部文化史，都是这两次留学生造成的。我们中国派遣学生出洋的时间、人数都不算很少，东洋留学生和中国文化史未必有什么关系，和中国卖国史却是关系很深了。西洋留学生除马眉叔、严几道、王亮畴、章行严、胡适之几个人以外，和中国文化史又有什么关系呢？这班留学生对于近来的新文化运动，他们的成绩，恐怕还要在国内大学学生、中学学生的底下（至于那反对新文化的老少留学生，自然又当别论）。这是什么缘故？各部里每月用几百张纸钱，可怜裹住了多少英雄！我奉劝已回国、未回国的留学生诸君，别抛弃你自己在中国文化史上的位置！

（第七卷第一号，一九一九年十二月一日）

(七三）段派、曹陆、安福俱乐部

独　秀

哪个军人不横暴不抢钱？哪个官僚不卖国肥家？哪个政客不结党营私？我们从前专门骂段派、骂曹陆、骂安福俱乐部，以为中国人要算这班分子最坏，中国必断送在他们手里，以为别的军人、别的官僚、别的政客，总要比他们好些。其实这种观察是一偏之见，大错而特错。

南京、武昌、广州也都禁止国民爱国运动，拘捕学生，打伤学生，比北京还要厉害。广州的护法军人居然赶跑了议员，打毁了报馆，枪毙了主笔。北海的鱼都飞了，佛也跑了，河间府的田地现在也买不着了。南昌的商会叫苦连天，全国督军的荷包都满了。吴佩孚一旦做了湖南督军，假面就会揭穿。我们为什么专门反对段派呢？

中国实业公司是些什么人主持，在那里内外勾结大卖而特卖呢？北京的中交票是何人弄到这步田地，现在还设法阻碍他兑现呢？"新华储蓄"的功德是谁做的呢？各条铁路是哪一系的人把持舞弊弄到这步田地呢？北京××胡同新造的大洋房，这钱是从哪里来的？军事协定究竟有没有得过日本贿赂的人？北方官场中能找得出几个像董康那样干净的人呢？南方官场中能找得出几个像

(七三)段派、曹陆、安福俱乐部

伍廷芳那样干净的人呢？我们为什么专门反对曹陆？

上海某某制药公司是哪些人帮他运动注册的？第一次北方议和代表用的八十万，南代表都毫无沾染吗？倪嗣冲盐斤加价的事，安徽人无不痛心切齿，偏偏有个进步党的首领说是义举。新思潮的运动，已经很受压迫了，现在又加上一个国民党的要人大骂无产社会，说是"将来之隐患"，"大乱之道"。广东财政厅、盐运使、关税余款、西南银行的问题，闹得鸭屎臭，北京固然是一派人的家天下，广州也是政学会的家天下。军人反对旧国会的军政府改组案，不是他们指使的吗？他们上海的机关报，现在开始攻击新文化运动了。我们为什么专门反对安福俱乐部？

我并不是为段派、曹陆、安福部辩护，我只希望我们青年国民要有彻底的觉悟。所谓彻底的觉悟，并不是要来彻底地攻击他们，是要一方面彻底地觉悟他们都不可靠，一方面彻底地觉悟只有我们自己可靠。不管他们怎样横暴贪污，只要我们自己万万不可再像他们那样横暴贪污。从自己个人起，要造成完全公正廉洁的人格，再由自己个人延长渐渐造成公正廉洁的社会。这公正廉洁的部分渐渐延长，那横暴贪污的部分自然就渐渐缩小。照这样办法，虽说过于迟缓，就怕比用特别大气力求急速改造社会的效果还大，还要实在。就是攻击他们，也不可偏责一方，因为他们通是一路的人，若是责甲恕乙，不但甲心不服，乙必暗笑这班书生容易欺骗。

(第七卷第一号，一九一九年十二月一日)

（七四）《浙江新潮》——《少年》

独　秀

　　《浙江新潮》是《双十》改组的,《少年》是北京高等师范附属中学"少年学会"出版的。《少年》的内容,多半是讨论少年学生社会的问题,很实在有精神。《浙江新潮》的议论更彻底,《非"孝"》和攻击杭州四个报——《之江日报》《全浙公报》《浙江民报》和《杭州学生联合会周刊》——那两篇文章,天真烂漫,十分可爱,断断不是乡愿派的绅士说得出的。我读了这两个周刊,我有三个感想:(1)我祷告我这班可爱可敬的小兄弟,就是报社封了,也要从别的方面发挥"少年""浙江潮"的精神,永续和"穷困及黑暗"奋斗,万万不可中途挫折。(2)中学生尚有这样奋发的精神,那班大学生,那班在欧、美、日本大学毕业的学生,对于这种少年能不羞愧吗？(3)各省都有几个女学校,何以这班姊妹们都是死气沉沉！难道女子当真不及男子,永远应该站在被征服的地位吗？

（第七卷第二号,一九二〇年一月一日）

（七五）新出版物

独　秀

近来新出了许多杂志，并且十种里总有八九种是说"人"话的新杂志，不用说中国社会上只有这件事是乐观，但是我对于这件事，更有数种进一步的感想：

（一）出版物是文化运动的一端，不是文化运动的全体。出版物以外，我们急于要做的实在的事业很多，为什么大家都只走这一条路？若是在僻远的地方——云南、甘肃等处——发行杂志，到也罢了，像北京、上海同时出了好些同样的杂志，人力上、财力上都太不经济了。

（二）我们的民族性，是富于模仿力，缺少创造力，有了大舞台，便有新舞台，更有新新舞台，将来恐怕还有新新新舞台，还有新新新新无穷新……舞台出现，像这点小事，都只知道模仿不知道创造！现在许多人都只喜欢办杂志，不向别的事业的方面发展，这也是缺少创造力的缘故。就以办杂志而论，也宜于办性质不同、读者方面不同的杂志，若是千篇一律，看杂志的同是那一班人，未免太重复了。

（三）凡是一种杂志，必须是一个人、一团体有一种主张不得不发表，才有发行的必要。若是没有一定的个人或团体负责任，东拉人做文章,西请人投稿,像这种"百衲"杂志,实在是没有办的必要,不如拿这人力、财力办别的急于要办的事。

(第七卷第二号,一九二〇年一月一日)

（七六）保守主义与侵略主义

独　秀

　　我从前总觉得尊孔与复辟，有必然的因果关系，现在又觉得保守主义与侵略主义，也有必然的因果关系。
　　日本要侵略我们土地、利权的，是那军阀、财阀、外交官和保守主义的新闻记者，那进步主义的社会党人，却都以为不应该侵略中国。进步主义的列宁政府，宣言要帮助中国，保守主义的渥木斯克政府，自己已经是朝不保夕了，还仍旧想侵略蒙古和黑龙江，它若是强起来，岂不是第二个日本吗？现在保守主义的英、法政府，仍旧在那里梦想侵略主义的、帝国主义的虚荣，而倾向社会主义的劳动家、学者，却都宣言侵略主义不合人道。最近、最明白的一个例，就是现在意大利的大政变，大政变的原由，是因为国会议员分为两派：一是保守派，主张侵略主义，主张兼并非麦；一是社会民主派，反对侵略主义，攻击段迪阿的行动。保守派的军队枪杀社会党员，劳动界便全体罢工，要求政府卸去保守派阿尔兰特兵队的武装。军阀、财阀们脑子里装满了弱肉强食的旧思想，所以总是主张侵略主义；社会党人脑子里装满了人道、互助、平等的新思想，所以反对侵略主义。这不是必然的因果吗？我们中国人对于日本人的侵略主义，没有不切齿痛恨的，但是我们究竟应该走哪一条路？

（第七卷第二号，一九二〇年一月一日）

（七七）裁兵？发财？

独　秀

　　裁兵自是人民最希望的事，但像政府现在的办法，实在令人失望得很：（一）查八年度预算案，陆军费在二万万以上，裁兵二成，岁费应该减少四千万元，何以只能减二千万？（二）八年度预算案及路、电、邮、航四政特别会计预算案，每年短少有三万万之多，只节省军费二千万，何济于事？（三）各处军队的空额何只二成，现在只裁二成，便是不裁一兵反可以得一笔裁兵费，岂不是无上妙计？（四）公文上虽然裁去二成，倘再招警备队，每年节省的二千万，是否改个名目还要政府拿将出来？（五）整顿丁漕、税契、一切杂捐，何以和裁兵做在一篇文章里面？是不是又要借裁兵来横敲人民的骨髓？

（第七卷第二号，一九二〇年一月一日）

（七八）学生界应该排斥的日货

独　秀

中国古代的学者和现代心地忠厚坦白的老百姓，都只有"世界"或"天下"的观念，不懂得什么国家不国家。如今只有一班半通不通自命为新学家的人，开口一个国家，闭口一个爱国。这种浅薄的、自私的国家主义、爱国主义，乃是一班日本留学生贩来的劣货。（这班留学生别的学问丝毫没有学得，只学得卖国和爱国两种主义。）现在学界排斥日货的声浪颇高，我们要晓得这宗精神上输入的日货为害更大，岂不是学生界应该排斥的吗？有的人说：国家是一个较统一、较完备的社会，国家是一个防止弱肉强食、调剂利害感情冲突、保护生命财产的最高社会。这都是日本教习讲义上的一片鬼话，是不合天理人情的鬼话，我们断乎不可听这种恶魔的诱惑。全人类的吃饭、穿衣、能哭、能笑、做买卖、交朋友，本来都是一样，没有什么天然界限，就因为国家这个名儿，才把全人类互相亲善的心情，挖了一道深沟，又砌上一层障壁，叫大家无故地猜忌起来，张爱张的国，李爱李的国，你爱过来，我爱过去，只爱得头破血流，杀人遍地。我看它的成绩，对内只是一个挑拨利害感情、鼓吹弱肉强食、牺牲弱者生命财产、保护强者生命财产的总机关，对外只是一个挑拨利害感情、鼓吹弱肉强食、牺牲弱者生命财产、保护强者生命财产的分机关，我们只看见它杀人流血，未曾看见它做过一件合乎公理正义的事。

这个名儿原来是近代——十九世纪后半期更甚——欧洲的军阀、财阀造出来欺人自肥的骗术，这种骗术传到日本，日本用它骗了许多人（日本的平民和朝鲜人、中国人都包含在内），中国留学日本的人，现在又想从日本传到中国。其实大战以后，欧洲的明白人已经有了觉悟（参看本志前号中《精神独立宣言》），想把这流血的陈年账簿烧去不用了，就是日本也有几个想烧流血账簿的明白人，武者小路先生就是其中的一个。中国人原来没有用这种账簿的习惯，现在想创立一本新的从第一页写起，怎么这样蠢笨！

但是我们对于眼前拿国家主义来侵略别人的日本，怎样处置它呢？我以为应该根据人道主义、爱公理主义，合全人类讲公理不讲强权的人（日本人也包含在内），来扑灭那一切讲强权不讲公理的人（日本人也包含在内），不要拿哪一国来反对哪一国。若是根据国家主义、爱国主义来排斥日货，来要求朝鲜独立，未免带着几分人类分裂生活的彩色，还是思想不彻底。拿日人来排斥日货，在人类进化史上仍是黑暗的运动，不是光明的运动，我们学生界应当有深一层的觉悟，应当发展在爱国心以上的公共心。至于那连爱国心都没有的奸商、奸官，根据个人的私利主义，贩卖日货，贩卖中国米出口给杀中国人的人吃，我不承认他们的见解和我一样。

（第七卷第二号，一九二〇年一月一日）

（七九）阔处办

独　秀

我看见多少青年，饮食起居，婚丧酬应，都想着朝阔处办才有面子，他眼中的朴素生活，大约是很寒酸可耻。

我回想从前有许多亲戚朋友，都因为喜欢朝阔处办，才破坏了家产，牺牲了气节，辱没了人格，造成了痛苦，我想起来，我浑身战栗！

现在的青年他们又想朝阔处办，然而没有钱。没有钱仍然想朝阔处办，所以身为大学生不得不投降安福部，不得不听安福部的命令拥护胡仁源，不得不利用胡仁源来分配他们自身的位置。现在失败了，大家看穿了，丑得不好意思和旧同学见面了。

阔处办！阔处办！过去已堕落的青年，现在方堕落的青年，都被你害得苦了。我盼望未堕落的青年，倘若这位先生叩门求见的时候，总要挡驾才好。现在你若见了他，将来你就不好意思见你的朋友了。

（第七卷第二号，一九二〇年一月一日）

（八〇）青年体育问题

独　秀

　　健全思想、健全身体本是应该并重的事，现在青年不讲体育，自然是一大缺点。
　　听说杜威博士说奉天的学生体魄好，不像南方和北京的学生，都现出疲弱的样子，这是学生界应当警觉的一件大事。但是备体育应有三戒：（一）兵式体操。（二）拳术。（三）比赛的剧烈运动。
　　这三件事在生理上都背了平均发达的原则（小学教育更不相宜），在心理上都助长恶思想。军国民教育的年代过去了，什么兵式的杀人思想，少输入点到青年的脑筋里罢。庚子年"神拳"的当我们已经上够了，现在马师长的武艺我们也领教了，别再把孔夫子所不说的"怪力乱神"来"贼夫人之子"。比赛的剧烈运动，于身体不但无益而且有害，至于助长竞争心、忌妒心、虚荣心，更是他的特色。

（第七卷第二号，一九二〇年一月一日）

(八一)约法的罪恶

独　秀

从前旧人骂约法,现在新人也骂约法,这约法合该要倒运了。

旧人骂约法是骂他束缚政府太过,新人骂约法,是骂他束缚人民太过。但照事实上看起来,违法的违法,贪赃的贪赃,做皇帝的做皇帝,复辟的复辟,解散国会的解散国会,约法不曾把他们束缚得住,到是人民的出版、集会自由,却被约法束缚得十分可怜,约法！约法！你岂不是一个有罪无功的厌物吗？

政府拿《治安警察条例》和《出版法》两种武器,来束缚人民的出版、集会的自由,许多人背着眼睛骂政府违法,其实政府何尝违法。约法里明明说:"本章所载人民之权利,有认为增进公益、维持治安,或非常紧急、必要时,得依法律限制之。"正因为约法对于人民的权利,原来有这样一手拿出、一手收回的办法,政府才定出许多限制的法律,把人民的出版、集会自由,束缚得和钢铁锁链一般。这本是约法的罪恶,何尝是政府违法呢？这种约法护它做什么？

我要请问护法的先生们,护法的价值在哪里？

(第七卷第二号,一九二〇年一月一日)

（八二）男系制与遗产制

独　秀

　　对于李超女士的事件（见《新潮》二卷二号），我们可以看出社会制度上两大缺点：一是男系制，一是遗产制。
　　远古乱婚或同姓为婚时代，曾经过女系制（或是母长制）及父母同长制，这是各国社会学者所同认的了。在他们渔猎为生、家族初成立的时候，社会上固不尽是男子掌权，家族以内更多半是母长制，这也是自然之理。后来农业发达，人口加增，土地所有权的观念一天深似一天，战争也就多起来了，那战胜的部落把掳来战败的男子为奴、女子为妻（古代的掳妻Capture-wife，自然不能和本族的自由妻平等，仿佛和后世的妾相似。后来妾的制度，也是从掳妻变化出来的，所以汉文"妾"字从"立"从"女"，就是罪人的意思），在社会学上这就叫做"掳妻"或"掠夺婚姻"。又有一种和平的方法，乃是用农产物或家畜交换，这就叫做"买卖婚姻"。因为这两种婚姻制度，女子在家族、在社会的地位，自然发生和以前不同的两种现象：一是女子不能和男子平等，一是女子变为个人的私有物。自从女子变为个人的私有物，所以女子的身体便不能归自己所有，在家归父所有，出嫁归夫所有，夫死归夫家或子所有。既是个人的所有物，便和别的动产、不动产一般，所以她的物主任意把她毁坏、赠

(八二)男系制与遗产制

送、买卖，都不发生什么道德的、法律的问题。在家从父，出嫁从夫，夫死从子，这是东方礼教国女教的"三从"大义，也就是男系制完全胜利的正式宣告，也就是女子终身为男子所有的详细说明、铁板注脚，不如此便不算孝女、良妻、贤母。只可惜中国人的三从主义、女子归男子所有主义，还不及匈奴发达。匈奴父死，父的妻和别的财产都归儿子所有，这种从子大义，这种把女子也归在遗产以内一同承袭的制度，比中国人更做得淋漓尽致。

从前在女系制度下的子女，只知有母不知有父，那遗产自然是男女平分或是专归女子。到了女子专归那一个男子（女子的夫）私有以后，接着许多教主、圣人都说出一篇男尊女卑的大道理，女子的地位自然渐渐低将下去，自然由女系制变为男系制，由母长制及父母同长制变为完全父长制，同时父子关系也分明了，遗产也自然变为男子专有了。后来宗法观念和家长观念发达起来，长子、嫡子的地位又比次子、庶子加高，便发生了长子或嫡子承袭爵位的习惯。由这个习惯，一切没有爵位的平民，也模仿他们造成了长子一人承袭遗产的习惯。东洋各民族男系的血族观念，格外发达，女子的地位也格外低，所以宁可以承继旁系的男子，嫡系的女子反没有承袭遗产的权利。

现在已经不是宗法社会，什么男系制、女系制，都是过去的历史问题，不是现在的社会问题，除了几个贱丈夫，自然没有人明目张胆地拿男系制来做道德、法律的标准。

至于遗产制度，也应该随着社会的趋势有个应时的改革才好。有一班思想彻底的人，总觉得劳力所得以外，不会有许多正当的财产，就说凡是财产都算是劳力所得，都算是正当，那绝对不劳力的子孙，也没有安坐而得遗产的道理，就勉强说不劳力的子孙所得遗产,是他劳力的先人自由遗赠的权利,也断乎没有嫡系的女子不能承袭遗产、旁系的男子反来可以独霸的道理。这是什么道理、什么法律？我想了三日三夜,也想不出头绪来。

李女士的承继的哥哥,固然是残忍没有"人"的心,但是我以为不能全怪他,我对于社会制度要发两个疑问：

(一)倘若废止遗产制度,除应留嫡系子女成年内教养费以外,所有遗产都归公有,那么李女士是否至于受经济的压迫而死？

(二)倘若不用男系制做法律习惯的标准,李女士当然可以承袭遗产,那么是否至于受经济的压迫而死？

李女士之死,我们可以说：不是个人问题,是社会问题,是社会的重大问题。

(第七卷第二号,一九二〇年一月一日)

(八三)解放

独　秀

我们中国人不注重实质上实际的运动,专喜欢在名词上打笔墨官司,这都是迷信名词万能的缘故。

现在大家对于"妇女解放"这个名词也是这样。有人方才主张妇女解放,实际上还没有一点事做出来。又有人并不反对"妇女解放"这个事实,却反对"妇女解放"这个名词,说解放不是自动,辱没了妇女的人格,惹得大家怀疑,慢说实际运动,连口头上也几乎不好说了,这是图什么!

解放就是压制的反面,也就是自由的别名。近代历史完全是解放的历史,人民对君主贵族,奴隶对于主人,劳动者对于资本家,女子对于男子,新思想对于旧思想,新宗教对于旧宗教,一方面还正在压制,一方面要求自由、要求解放,事实本来是这样,何必要说得好听?男子也是如此,并非专门辱没妇女。况且解放重在自动,不只是被动的意思,个人主观上有了觉悟,自己从种种束缚的、不正当的思想、习惯、迷信中解放出来,不受束缚,不甘压制,要求客观上的解放,才能收解放的圆满效果。自动的解放,正是解放的第一义。

我们生在这解放时代,大家只有努力在实际的解放运动上做工夫，不要多在名词上说空话！名词好听不好听，彻底不彻底，没有什么多大关系。在思想转变的时候，道理真实的名词，固然可以做群众运动的共同指针，但若是离开实际运动，口头上的名词无论说得如何好听，如何彻底，试问有什么用处？

我们迷信名词万能，还是八股的余毒。名词若果万能，"共和"这个名词，自然比"专制""君主立宪"都好听得多，彻的得多，可是中国现在总算有了"共和"这个名词了，实质上实际的效果怎么样？所以我们要觉悟：（一）我们所需要的是理想的实质，不是理想的空名词；（二）我们若要得到理想的实质，必须从实际的事业上一步一步地开步走，一件一件地创造出来，不要睡在空名词圈里，学那变戏法的，把名词当做一种符咒，只是口中念念有词，就梦想它、等候它总有一天从空中落下，实现在我们的眼前。

空名词固然没有价值，就是他所代表的实质，也只有他本身相当的价值。没有像"万应丸"百病包治的价值。我们被那些"先王之法""圣人之道"等包含一切金科玉律的空法名词遗误已久，此后不可再误了。

（第七卷第二号，一九二〇年一月一日）

(八四)虚无主义

独 秀

中国的思想界,可以说是世界虚无主义的集中地:因为印度只有佛教的空观,没有中国老子的无为思想和俄国的虚无主义;欧洲虽有俄国的虚无主义和德国的形而上的哲学,佛教的空观和老子学说却不甚发达。在中国这四种都完全了,而且在青年思想界,有日渐发达的趋势。可怜许多思想幼稚的青年,以为非到一切否定的虚无主义,不能算最高尚最彻底。我恐怕太高尚了要倒下来,太彻底了要漏下去呵!我以为信仰虚无主义的人,不出两种结果:一是性格高尚的人出于发狂,自杀;一是性格卑劣的人出于堕落。一切都否定了,不自杀还做什么?一切都否定了,自己的实际生活却不能否定,所以他们眼里的一切堕落行为都不算什么,因为一切都是虚无。我敢说虚无思想,是中国多年的病根,是现时思想界的危机。我盼望笃行好学的青年,要觉悟到自己的实际生活既然不能否定,别的一切事物也都不能否定。对于社会上一切黑暗,罪恶,只有改造,奋斗,单单否定他是无济于事,因为单是否定他,仍不能取消他实际的存在。

(第八卷第一号,一九二〇年九月一日)

(八五)俄国精神

独 秀

黄任之先生说：中国人现在所需要的，是将俄国精神，德国科学，美国资本这三样集中起来。我以为我们倘能将俄国精神和德国科学合二为一，就用不着美国资本了。但是中国人此时所最恐怖的是俄国精神，所最冷淡的是德国科学，所最欢迎的只有美国资本！

(第八卷第一号，一九二〇年九月一日)

（八六）男女同校与议员

独　秀

男女同校本来一件很平常的事，在理论上简直用不着讨论。上海大同学院是首先实行的了；北京大学收容女生，就是腐败的教育部也居然许可了；现在南京高等师范也打算收女生（听说"苏社"的首领很反对这件事，南京的教职员因此有点迟疑：我劝南京教职员勿为谣言所惑，因为"苏社"诸君总不至像安福部那样横霸）。可见男女同校，在中国也已经成了事实了。但是广东浙江江苏什么省议会，都提出什么禁止男女同校的议案。哼！议员议员！尔等恶也做够了，人民厌恶尔等也到了极莲，何必又闹笑话！

（第八卷第一号，一九二〇年九月一日）

（八七）上海社会

独　秀

　　上海社会，分析起来，一大部分是困苦卖力毫无知识的劳动者；一部分是直接或间接在外国资本势力下讨生活的奸商；一部分是卖伪造的西洋药品卖发财票的诈欺取财者；一部分是淫业妇人；一部分是无恶不作的流氓包打听拆白党；一部分是做红男绿女小说做种种宝鉴秘诀做冒牌新杂志骗钱的黑幕文人和书贾；一部分是流氓政客，青年有志的学生只居一小部分。处在这种环境里，仅仅有自保的力量，还没有征服环境的力量。像上海这种龌龊社会，居然算是全中国舆论的中心，或者更有一班妄人说是文化的中心，上海社会若不用猛力来改造一下，当真拿它做舆论和文化的中心，那么，中国的舆论和文化可真糟透了。因为此时的上海社会，充满了无知识利用奸诈欺骗的分子，无论什么好事，一到了上海，便有一班冒牌骗钱的东西，出来鬼混。流氓式的政客，政客式的商会工会的利用手段更是可厌，我因此联想到国民大会如果开得成，总以不在上海开会为宜。

(第八卷第一号，一九二〇年九月一日)

(八八)比较上更实际的效果

独　秀

"不劳而获",自然是不好的观念;劳而不获,也不是正当办法。最好是用劳力去求那比较上更实际的效果。例如:与其提倡废姓,不如提倡名号统一;与其提倡女子剪发,不如提倡女子放足及解放胸部的束缚;与其邀集朋友办杂志,不如邀集朋友设读书会;与其高谈无政府主义社会主义,不如去做劳动者教育和解放的实际运动;与其空谈女子解放,不如切切实实谋女子的教育和职业。

(第八卷第一号,一九二〇年九月一日)

(八九)再论上海社会

独　秀

　　从前做《黑幕》一类的小说,不用说是为了金钱主义。世界上弄钱的法子很多,做这种小说来弄钱已经是有点黑心了。现在因为《黑幕》的生意不大好,摇身一变来做新思潮的杂志骗钱,外面挂着新文化的招牌,里面还是卖《黑幕》一类的货。上海骗钱的法子很多,拿这种法子来骗钱来糟蹋新文化,更加是黑心到了极点了。

　　从前贪官奸商合起来运米出洋,不用说是为了金钱主义。世界上弄钱的法子很多,运米出洋好叫自己发财穷人吃贵米,已经是有点黑心了。现在因为贩米出洋受人唾骂,换一个法子来办平粜局,就由这平粜局运米出洋(详见八月二十六日上海《时事新报》本埠时事栏),上海骗钱的法子很多,拿这种法子来骗钱来造成米荒,更加是黑心到了极点了。

　　你们提倡新文化反对《黑幕》,我就挂起新文化招牌来卖《黑幕》;你们提倡办平粜反对运米出洋,我就挂起平粜招牌来运米出洋。这种巧计,可比《三国演义》上的诸葛先生还要利害。因此推论,打着"毋忘国耻"的招牌卖日货,打着社会主义的招牌拥护军阀官僚,也是意中事。所以什么觉悟,爱国,群利,共和,解放,强国,卫生,改造,自由,新思潮,新文化等一切新流行的名词,一到上海便仅仅做了香烟公司药房书贾彩票行的利器,呜呼上海社会!

(第八卷第二号,一九二〇年十月一日)

（九〇）学说与装饰品

独　秀

本来没有推之万世而皆准的真理，学说之所以可贵，不过为他能够救济一社会一时代弊害昭著的思想或制度。所以详论一种学说有没有输入我们社会的价值，应该看我们的社会有没有用它来救济弊害的需要。输入学说若不以需要为标准，以旧为标准的，是把学说弄成了废物；以新为标准的，是把学说弄成了装饰品。譬如我们不懂适者生存的道理，社会向着退化的路上走，所以有输入达尔文进化论的需要；我们的文学、美术都偏于幻想而至于无想了，所以有输入写实主义的需要；我们士大夫阶级断然是没有革新希望的，生产劳动者又受了世界上无比的压迫，所以有输入马克思社会主义的需要。这些学说的输入都是跟着需要来的，不是跟着时新来的。这些学说在社会上有需要一日，我们便应该当做新学说鼓吹一日；比这些更新的学说若在社会上有了输入的需要，我们当然是欢迎它；比这些更旧的学说若是在社会上有存留的需要，我们不应该唾弃它。现在有许多人说，达尔文的学说、写实主义自然主义的文艺、马克思的社会主义都是几十年前百年前的旧学说，都有比它们更新的，它们此时已经不流行不时髦了。这种论调完全把学说当做装饰品，学说重在需要，装饰品重在时新，这两样大不相同啊！

（第八卷第二号，一九二〇年十月一日）

（九一）懒惰的心理

独　秀

改造社会自然应该从大处着想,自然应该在改革制度上努力,如此我们的努力才是经济的。但是不可妄想制度改革了样样事便立刻会自然好起来。只可说制度不改,我们的努力恐怕有许多是白费了,却不可说制度改了,我们便不需努力。无论在何种制度之下,人类的幸福,社会的文明,都是一点一滴的努力创造出来的,不是像魔术师画符一般把制度改了那文明和幸福就会从天上落下来。怀这种妄想的人就是人类懒惰的心理的表现。例如中国辛亥革命后,大家不去努力创造工业,不去努力创造教育,不去努力创造地方自治,不去努力监督选举,不去努力要求宪法上的自由权利,妄想改了共和就会自然有一步登天的幸福。又如俄罗斯十月革命以来,大家不想想他在这短期间,除了抵抗内外仇敌及大饥馑,他所努力创造的只应该到何程度,便无理地责备他的成绩,这都是人类懒惰的心理的表现。我们现在及将来的改革倘不排除这种心理,定会要失败的。据我所知道的:北京工读互助团以为他们是新思想新制度的产物,便不需照旧式工商业那样努力那样竞争,他们便因此失败了。某处有一消费合作社,他们以为合作社是新的理想新的制度,不需要从前的营业技术,他们便因此失败了;有

(九一)懒惰的心理

好几处学生贩卖部,他们以为是传播新文化的机关,不必采用营业的麻烦手续,连出入账目都随随便便不去用力弄清楚,他们便因此失败了;我看照这些同样不努力的懒惰的空想,都没有不失败的。

此外我们时常有"彻底""完全""根本改造""一劳永逸"一些想头,也就是这种懒惰的心理的表现。人类社会的进化决不是懒惰者所想象的那样简单而容易。

(第八卷第二号,一九二〇年十月一日)

（九二）社会的工业及有良心的学者

独　秀

中国急需发达工业，但同时必须使重要的工业都是社会的不是私人的，如此中国的改革才得着西洋工业主义的长处，免得他们那样由资本主义造成经济危殆的短处。中国急需学者，但同时必须学者都有良心，有良心的学者才能够造成社会上真正多数人的幸福；我们敬爱一个诚实的农夫或工人过于敬爱一个没良心的学者，这班学者脑子里充满了权门及富豪的肮脏东西，他们不以为耻辱还要把那些肮脏东西列入学理之内，他们那曲学阿世底罪恶助成了权门富豪的罪恶都一件一件写在历史上，我们不曾忘记呵！

（第八卷第三号，一九二〇年十一月一日）

(九三)劳动者的知识从哪里来？

独　秀

日本贺川丰彦先生(贺川先生是一位有良心的学者,他住在神户的贫民窟里十几年,专门出力帮助贫民,前两个月曾来上海调查中国之贫民窟)。在大阪劳动问题讲演会曾说:"在今日资本家制度的社会,金钱比生命还要贵重。资本家因为致富不惜牺牲劳动者的生命。大正六年算是最隆盛时代,然全国增加了医生五万人,看护妇六万人,而人口死亡率还是增加。"又说:"据文部省研究调查,十五万小学生中,贫民子弟的平均生长,男的矮一寸,女的矮一寸五分;食物不足的人身长及知识都不能发达。第一要叫他们食物充足呵！社会若不叫他们的食物充足,有非难劳动者无知识的权力吗？"我盼望主张工人缺乏知识不能增加工资之人,都注意贺川先生所举的事实！

(第八卷第三号,一九二〇年十一月一日)

（九四）三论上海社会

独　秀

上海社会除了龌龊分子以外，好的部分也充满了戴季陶先生所谓曼彻斯特的臭味。偌大的上海竟没有一个培养高等知识的学校，竟没有一个公立的图书馆，到处都是算盘声铜钱臭。近来不但是曼彻斯特的臭味充满了，拜金主义的国里纽约的臭味也加进来了。而且这种纽约的臭味在上海大时髦而特时髦；他们分明是不过为自己、为资本家弄了几个铜钱，而偏偏自谓是在中国实业上贡献了许多文化。杜威、罗素来了，他们都当做福开森朱尔典拉门德一样欢迎，而且引为同调（硬说罗素劝中国人保存国粹），大出风头（屡次声明罗素是某人请来的），但是杜威反对形式教育的话和罗素反对资本主义的话，他们都充耳不闻，却和杜威、罗素这班书迂子谈起什么中美中英邦交问题来了。罗素初到上海，在大东欢迎席上就有人在演说中替商务印书馆登了一段卖书的广告。我们一方面固然赞叹商务印书馆的广告术十分神奇，一方面可是觉得曼彻斯特、纽约两种臭味合璧的上海社会实在唐突学者！

（第八卷第三号，一九二〇年十一月一日）

(九五)华工

独　秀

英国人自夸说：无论太阳走到何处，都照着英国国旗；我们也可以自夸说：无论太阳走到何处，都照着中国人作工。中国劳动者在国内做的工，除了瞎子都可以看得见，这是不待说的，他们并且散布到全地球了，地球上五大部洲，到处都有华工的足迹，至于开辟那新旧金山的功劳，更是历史的伟大。最近一班无耻的军人政客各人自夸参战的功，试问除赴法的华工外什么人对于参战有丝毫功绩？我们可以自夸的只有伟大的劳动力这一项，但偏偏有一班心盲的人硬说："吾辈居今日之中国欲建立劳动者专政而患无劳动者也。"在外国的华工姑且不论，试问中国国内若无劳动者，我们吃的饭穿的衣住的房屋乘的车船是从那里来的？我想他只有答道："这些都是资本家做给我们的。"

(第八卷第四号，一九二〇年十二月一日)

（九六）四论上海社会

独　秀

　　上海社会是那一种人最有势力？从表面上看来，政治的经济的大权不用说都在西洋人手里，但社会的里面却不尽然。大部分工厂劳动者，全部搬运夫，大部分巡捕，全部包打听，这一大批活动力很强的市民都在青帮支配之下。去年学生运动时的大罢工已经显出他们的威信。他们的组织上海没有别的团体能比他大，他们老头子的命令之效力强过工部局。他们所做的罪恶实在不少，上海的秩序安宁可以说操在他们的手里。他们的团结是跟着物质上生活需要自然发生的，决不能够全由政治法律的力量任意将他消灭下去。消灭他们之根本办法，唯有使各业工会在法律上都公然成立，并且使工会的权力能够容纳他们，团结他们，能够应他们物质上的生活需要，他们的秘密团结自然会消灭下去。在这一点看起来，上海工会发达不发达，不仅是劳动界利害问题，简直是上海全社会治安问题。

（第八卷第四号，一九二〇年十二月一日）

（九七）劳工神圣与罢工

独　秀

常常听见人说，你们一方面提倡劳工神圣，一方面又提倡罢工或提倡减少工作时间，岂不是自相矛盾吗？像这种头脑不清的说话，一班头脑不清的人或者以为很有道理。但是要晓得我们所崇拜的劳工神圣，是说劳动者为社会做的工——即全社会所享用的衣食住及交通机关——是神圣事业，不是说劳动者拼命替资本家增加财产是神圣事业。为资本家做工是奴隶事业，为社会做工是神圣事业，头脑清楚的人应该懂得这个区别。我们提倡罢工或减少工作时间，正因为现时生产制度下的奴隶事业玷辱了"劳工神圣"这四个字。可见提倡罢工或减少工作时间和提倡劳工神圣是一致的不是矛盾的。我盼望社会上要把这个道理弄清楚，免得思想新的资本家又来假劳工神圣的名义欺骗劳动者！替他拼命做工。

（第八卷第四号，一九二〇年十二月一日）

（九八）主义与努力

独　秀

我们行船时，一须定方向，二须努力。不努力自然达不到方向所在，不定方向将要走到何处去？

我看见有许多青年只是把主义挂在口上不去做实际的努力，因此我曾说："我们改造社会是要在实际上把他的弊病一点一滴一桩一件一层一层渐渐的消灭去，不是用一个根本改造的方法，能够叫他立时消灭的。"又曾说："无论在何制度之下，人类的幸福，社会的文明，都是一点一滴地努力创造出来的，不是像魔术师画符一般把制度改了那文明和幸福就会从天上落下来。"这些话本是专为空谈主义不去努力实行的人而发的，譬如船夫只定方向不努力，船如何行得，如何达到方向所在。

但现在有一班妄人误会了我的意思，主张办实事，不要谈什么主义什么制度。主义制度好比行船的方向，行船不定方向，若一味盲目的努力，向前碰在礁石上，向后退回原路去都是不可知的。

我敢说，改造社会和行船一样，定方向与努力二者缺一不可。

"教学者如扶醉人，扶得东来西又倒。"这话真是不错。

（第八卷第四号，一九二〇年十二月一日）

(九九)革命与作乱

独 秀

我们为什么要革命？是因为现社会的制度和分子不良,用和平的方法改革不了才取革命的手段。革命不过是手段不是目的,除旧布新才是目的。若是忘了目的,或是误以手段为目的,那便大错而特错。政治革命是要出于有知识有职业的市民,社会革命是要出于有组织的生产劳动者,然后才有效果。若是用金钱煽动社会上最不良的分子——无职业不生产的流氓地痞盗贼——来革命,这种无目的之革命,不能算革命,只能算作乱。革命的目的是除旧布新,是要革去旧的换新的,是要从坏处向好处革,若用极恶劣的分子来革命,便是从好处向坏处革了;那么,我们为什么要革命？

革命是神圣事业,是不应该许社会上恶劣分子冒牌的呀!

(第八卷第四号,一九二〇年十二月一日)

（一〇〇）虚无的个人主义及任自然主义

独　秀

　　上海《时事新报》上所载 P. R. 君那篇《世界改造原理》，简直是梦话，简直是渔猎社会以前之人所说的。人类自有二人以上之结合以来，渐渐社会的发达至于今日，试问物质上精神上那一点不是社会的产物？那一点是纯粹的个人的？我们常常有一种特别的见解和一时的嗜好，自以为是个性的，自以为是反社会的，其实都是直接间接受了环境无数的命令才发生出来的，认贼作子我们那能够知道！即如 P. R. 君所谓"不听命于人"之理想，当真是他个人的理想，绝对未曾听命于人吗？不但个人不能够自己自由解放，就是一团体也不能够自由解放，福利耶以来之新村运动及中国工读互助团便因此失败了。不但一团体不能够自由解放，就是一国家也不能够自由解放，罗素先生所以说俄罗斯单独改革有点危险。不但物质上如此，精神上也是如此，譬如妇女殉夫他自以为个人道德是应该如此的，又如我们生在这资本制度社会里的人，有几个人免了掠夺的罪恶，这种可怕的罪恶是个人能够自由解放的吗？除了逃到深山和社会完全隔绝，绝没有个人存在之余地。我所以说 P. R. 那篇文章是梦话，是渔猎社会以前之人所说的。至于他反对一切建立一个主义的改造，我试问他反对一切建立一个主义，是否也是一种主义？他主张个人物质的及精神的方面完全解放以后再改造，是否也是一种主义？他所希望的人人各得其所的理想世界，他所希望的干干净净的人生，是否也是一种主义？我们若是听命于他的这种无信仰无归宿之改造，是否也要"深入一层地狱不能自由超拔的反于本来大路上去"，是否也是"人类听命于人的改造"方法，是否也要"弄得非常紊乱无限苦恼，造罪作恶总不了悟"呢？

我们中国学术文化不发达，就坏在老子以来虚无的个人主义及任自然主义。现在我们万万不可再提议这些来遗害青年了。因为虚无的个人主义及任自然主义，非把社会回转到原人时代不可实现。我们现在的至急需要，是在建立一个比较最适于救济现社会弊病的主义来努力改造社会；虚无主义及任自然主义，都是叫我们空想，颓唐，紊乱，堕落，反古。

(第八卷第四号，一九二〇年十二月一日)

（一〇一）民主党与共产党

独　秀

民主主义是什么？乃是资本阶级在从前拿他来打倒封建制度的武器，在现在拿他来欺骗世人把持政权的诡计。在从前政治革命时代，他打倒封建主义的功劳，我们自然不能否认；在封建主义未倒的国里，就是现在我们也不绝对的反对他。但若是妄想民主政治才合乎全民意，才真是平等自由，那便大错而特错。资本和劳动两阶级未消灭以前，他两阶级的感情利害全然不同，从那里去找全民意？除非把全国民都化为资本家或都化为劳动者才真有全民意这件东西存在，不然无论在何国家里，都只有阶级意党派意，绝对没有全民意。民主主义只能够代表资产阶级意，一方面不能代表封建党的意，一方面更不能代表劳动阶级的意，他们往往拿全民意来反对社会主义，说社会主义是非民主的所以不行，这都是欺骗世人把持政权的诡计。请看哈尔滨俄旧党《光明报》记者和上海《时事新报》记者的谈话（见十一月二十六日上海《时事新报》哈尔滨特约通信），这班民主派欺骗世人的诡计便完全暴露出来了。他说："我们非社会党的主张，就是要在远东建立一真正民主的共和国，决不赞成建立共产主义的国家。"又说："至于日本呢，我相信他能帮助我们。"又说："谢米诺夫却是真正的民主党，现在只有他一

(一〇一)民主党与共产党

人抵御共产党。"又说:"不论是美国是日本他们取得中东路权之后,总没有我们俄国人好。"又说:"中国取消俄使领,是不应当的。现在俄国人没有一个满意中国的审判庭的。"由他这些说话,我们看出两件事:(一)原来反对共产党的真正民主党就是谢米诺夫这鄙样贪不法的人物;(二)原来民主党对中国的外交,和共产党放弃中东路权放弃领事裁判权恰恰相反。

(第八卷第四号,一九二〇年十二月一日)

(一〇二)提高与普及

独　秀

一国的学术不提高固然没有高等文化,不普及那便是使一国的文化成了贵族的而非平民的,这两样自然是不能偏废。适之先生对于大学生主张程度提高,理论上自然是正当,别人驳他的话,我看都不十分中肯。我对于这个问题有两种感想:(一)大学程度固然要提高,同时也要普及,提高而普及的方法,就是全国多设大学,各大学中多收绝对不限资格的自由旁听生。学术界自然不能免只有极少数人享有的部分,但这种贵族式的古董式的部分,总得使他尽量减少才好。(二)专就北京大学学生而论,现在低的还没有,如何去提高?我觉得眼前不必急于提高,乃急于实实在在的整顿各科的基础学。历来北大的毕业生有几个能自由译读西文参考书的,有几个基础的普通科学习得完备的?蔡孑民先生到北大以后,理科方面并不比从前发展,文科方面号称发展一点,其实也是假的,因为没有基础学的缘故。没有基础学又不能读西文书,仍旧拿中国旧哲学旧文学中昏乱的思想,来高谈哲学文学,是何等危险!我劝适之先生别高谈什么提高不提高,赶快教朱谦之易家钺一流学生多习点基础科学,多读点外国文,好进而研究有条理的哲学,好医医他们无条理的昏乱思想罢!

我这两种感想适之先生以为如何?

(第八卷第四号,一九二〇年十二月一日)

（一○三）无意识的举动

独　秀

　　倒军阀我们是赞成的,但是倒一军阀成一军阀,实在是无意识的举动。战争我们虽然不绝对的反对,但是无主义的地盘战争,实在是无意识的举动。各省自治运动我们也很赞成,但是混合一班腐败官僚安政余孽烂污政客惊察侦探运动省自治,实在是无意识的举动。广州人赶去一班政客官僚我们固然很赞成,但是他们又迎去一班政客官僚,实在是无意识的举动。各地学生排日货我们固然不反对,但是去年天津学生今年河南学生强迫贩卖日货商人游街,实在是无意识的举动。政局统一我们也不反对,但是赞成现政府统一中国实际上就是日本间接的统一中国,实在是无意识的举动。

(第八卷第四号,一九二○年十二月一日)

（一〇四）旧约与恋爱诗

仲　密

《旧约》是犹太教与基督教的经典，但一面也是古代希伯来的国民文学，正同中国的五经一样。《诗经》中间有许多情诗，小学生在书房里高声背诵；《旧约》的《雅歌》更是热烈奔放，神甫们也说是表人神之爱的。但这是旧事重提，欧洲现今的情形便已不然了：美国神学博士谟尔（G. F. Moore）在所著《旧约的文学》第二十四章内说，"这书（指《雅歌》）中反复申说的一个题旨，是男女间的热烈的官能的恋爱。……在一世纪时，这书虽然题著所罗门的名字，在严正的宗派看来不是圣经；后来等到他们发现——或者不如说加上——了一个譬喻的意义，说他是借了夫妇的爱情在那里咏叹神与以色列的关系，这才将他收到经文里去。"这几句话说的很是明了，可见《雅歌》的价值全是文学上的，因为他本是恋爱歌集；那些宗教的解释，都是后人附加上去的了。

但我看见《新佛教》的基督教批评号里，有一篇短评名《基督教与妇人》，却说"《雅歌》一章虽寄意不在妇人，然而他把妇人的人格，实在看得太轻漂了"。又引了第八章第六节作证据，说"是极不好的状妇人之词"，其实这节只是形容爱与妒的猛烈；我们不承认男女关系是不洁的事，所以也不承认爱与妒为不好："爱情如死之坚强，嫉恨如阴间之残忍。"这真是极好的句，是真挚的男女关系的极致，并没有什么不好的地方。若说男女的不平等，那在古代是无怪的，在东方为尤甚；即如印度的撒提也是一例，但他们基督教徒也未必能引了这个例，便将佛教骂倒，毁损他的价值。

中国从前有一个"韩文公"，也不看佛教的书，却做了什么《原道》，攻击佛教，留下很大的笑话。我们所以应该注意，不要做新韩文公才好。

（第八卷第五号，一九二一年一月一日）

(一〇五)野蛮民族的礼法

仲　密

三年前的笔记里,有这样的一条,系阅英国弗拉塞(J. G. Frazer)著 Psyche's Task 时所记之一:

野蛮礼法对于亲属有规避之例。非洲班都诸部落男子避其妻母,并及妻党,不得相见;此外玛撒等诸族亦然。美洲加里福尼半岛及智利土人,英属几尼亚之加列勃人等亦同,凡妻党之外并及中表,唯以异性为限;苏门答腊土人亦避妻党:其意盖以防微杜渐,著者故以不见可欲则心不乱解之也。班都族之亚康巴人,又父避其女,自女成人时始,至嫁后乃止;苏门答腊之鲁蒲人翁媳不相见,加罗林群岛土人则父女母子兄弟姊妹互避,不同坐,不共杯盏,男子长成则外宿 Fel(未婚男子公共之宿所)中;黑岛群岛之少年亦居外舍,避其母及姊妹,互避名字,并名之部分(非名字而中含有其一部分的一切言词)亦禁之,母子食不授受,置令自取;又苏门答腊之巴尔达人规避之例亦同:著者引其所撰《族徽与外婚》(Totemism and Exogamy)云:"巴尔达人规避之俗,非出于道德之整肃,正由于道德之颓弛;巴尔达人以为男女独遇,即成私通……荷兰教士报告中曾云,此种规则虽迹近荒谬,但在其地实为必要。"按中国古时所定男

(一〇五)野蛮民族的礼法

女七岁异席,授受不亲,并考《孟子》嫂溺援之以手之文,礼俗正亦相近,又今妇女亦尚多讳言其名,当亦因名为身之一部,准感应魔术由偏及全之律,易于因缘为奸耳。

这篇笔记,我本来没有发表的意思;近来看见浙江省议会里什么人的一篇查办第一师范男女共学的计划的议案,竭力主张男女的隔离,我所以将各方规避的成例绍介给他们,以供参考。倘若他们承认这办法在中国"实为必要"如荷兰教士所说,那我也不同他们多辩,不过最后要重复声明一声,那些实行男女隔离的模范礼法的是苏门答腊的土人们啊!

(第八卷第五号,一九二一年一月一日)

(一〇六)个性的文学

仲　密

　　假的,模仿的,不自然的著作,无论他是旧是新,都是一样的无价值;这便因为他没有真实的个性。

　　印度那图夫人(Sarojini Naidu)的诗集《时鸟》(*Bird of Time*, 1915)上,有一篇英国戈斯(Edmund Gosse)的序文。他说,那图夫人留学英国的时候,曾拿一卷诗稿给他看。诗也还好,只是其中夜莺呵,蔷薇呵,多是一派英国诗歌里的习见语,所以他老实地告诉伊,叫伊先将这诗稿放到废纸篓里,再开手去做真的伊自己的诗。其结果便是《黄金的门》(*The Golden Threshold*)以下几部有名的诗集。这一节话,我觉得很有意味。戈斯并不是说印度人不应该做英国式的诗,不过因为这些思想及句调实在是已经习见,不必再劳伊来复述一遍;伊要做诗,应该去做自己的诗才是。但伊是印度,所以伊的生命所寄的诗里自然有一种印度的情调,为非印度人所不能感到,然而又是大家所能理解者:这正是伊的诗歌的真价值之所在,因为就是伊的个性之所在。正确的说来,伊的个性不但当然与非印度人不同,便是与他印度人也当然不同;倘若伊的诗模仿泰戈尔(R. Tagore),也讲什么"生之实现",那又是假的,没有价值了。或者伊的确是做自己的诗,但所含的倘是崇拜撒提(Suttee)一类的人情以外的思想,在印度的"国粹派"——大约也是主张国虽亡而"经子"不可不读的一流人——看来或者很有价值,不过为世界的"人"们所不能理解,也就不能承认他为人的文学了。

因此我们可以得到结论:(1)创作不宜完全抹杀自己去模仿别人;(2)个性的表现是自然的并非由于民族主义等的主张;(3)个性是个人唯一的所有,而又与人愿有根本上的共同点;(4)个性就是在可以保存范围内的国粹,有个性的新文学便是这国民所有的真的国粹的文学。

(第八卷第五号,一九二一年一月一日)

(一〇七)性美

陈望道

性美的理想,在各民族各时代虽然不是完全没有统一的处所,却也不免有分歧的现象,概括地指出,自然有点为难。但研究低级社会性美的理想,却也还容易,我们只需看那些人为的装饰,便可了然。

许多土人们已经将他们身体上的造作,显出他们性美的理想了。北亚美利加印第安人往往用人工把颜面压平,太平洋诸岛也有压平儿童鼻梁的习惯,这完全同中国人缠足一样。我们看见缠足便晓得中国人们性美的理想,看了这些,我们也便学得他们的性的美感了。

那望低级的人们并将他们性美的理想,在抹粉一桩事情里显示我们了。亚美利加印第安人身上往往涂着赭石或污泥;亚非利亚达拿河畔古铜色的土人往往染着浓厚的黑色;戛胡人盛装时,多将黄粉抹在身上;日本老年女人,齿上也还染着黑色。这又同中国人们抹粉涂脂的性美的理想,几乎可以嵌入同一的模型。

现在有位论者反对湖南女人恢复人权的宣言,说"涂脂""抹粉"者,"人类应有之修饰也",又说"涂脂""抹粉"者,"完全一美术上之问题……深愿我敬爱之女同胞,培植吾国之美术,更谋发挥而光大之"。但是可惜这位热心的论者并不曾举出别处的模范,"发挥""光大"似乎没有把握。我现在略略指出低级人们的习惯给他们看,他们从此也许更有希望了!

(第八卷第六号,一九二一年四月一日)

（一〇八）女人压迫男人的运动

陈望道

最近日本"新妇人协会"有一种运动，引起世人的注意了。这就是对于花柳病者限制结婚并请求离婚的请愿。

这请愿事件的主要点是：

(a) 要结婚的男人须将有资格的医生那一星期内作成证明没有染传性花柳病的诊查书，送呈市町村长换得"婚姻许可证书"。

(b) 没有婚姻许可证书的男人不得结婚，也不得结事实上的夫妇关系。

(c) 女人不得与没有婚姻许可证书的男人结婚，也不得与他结事实上的夫妇关系。

(d) 违背(c)条的男人处断三百元以下的罚金。

(e) 违背(c)条的女人也同。

(f) 对于提出伪虚的诊查书换得婚姻许可证书而结婚或结事实上夫妇关系的男人，处断五百元以下的罚金。

(g) 结婚后当事者的一造害花柳病时，他造得请求这病痊愈以前分居或离婚。

(h) 离婚后被害者得向加害者请求直到痊愈为止的医治费与相当的慰藉金。

(一〇八)女人压迫男人的运动

这运动一发现,日本男人就以为是女人在压迫男人的运动,群起反对了。但我却觉得男人无需反对,而且还须赞成伊们。因为男人们花柳的毒霉也许因这运动可以减少一点咧。

但又觉得女人们似乎还须更进一步!更进一步那就不致被人指摘为"中等阶级妇女利己的运动",于理论与实际上也更为妥当了。

(第八卷第六号,一九二一年四月一日)

(一〇九)从政治的运动向社会的运动

陈望道

最近湖南成立了个女界联合会,开成立会这一天就通过一篇"恢复女子人权的宣言"。

宣言的大纲是:

(a)要取得"财产匀分权","公民选举被选举权","教育同等权","职业对等权","婚姻自决权"这五种权利。

(b)现在先运动取得"匀分财产"和"参与选举"两事。

(c)预备从"宪法"上着手运动。

这纲要里最可使我们注意的就是"参与选举"这政治的运动的事。

现在男人已经从政治的运动向社会的运动了,女人如果同男人有同等的自觉,似乎不该终于落后,终于不同男人走同一的路径。我也知道女人的政治运动,在或一意义上也有相当的需要和根据;但从当代政治的本质和女人的地位下评判,我们却总没有力量反驳那些讥刺女人参政的议论。

因为现代的政治,从治者一面看,不过是取得自己或自己阶级生活上特权的事;从被治者一面说,便是自己生活上的支配。所以现在政治运动,总是朝着两个方向走:一个方向是取得权力,使自

(一〇九)从政治的运动向社会的运动

己或自己阶级的生活享有特权；别一个方向就是图谋那生活所受的支配得着最便利的一境。所以现在男人的政治运动，积极方面就是生活余裕的人想得到特权；消极方面就是生活没有余裕的人想脱却生活上穷乏的压迫。但要在消极方面脱却生活上穷乏的压迫，终非得到特权不能实现他们的希望，结果便又须从积极方面运动了。

以前因袭的政治运动，都是这样抢夺特权的扰乱。特权在你手里，我就受压迫；特权在他手里，你便被损害：人们本性不肯终于受压迫被损害，抢夺的扰乱这一篇著名悲剧也便没有闭幕的时候了。

所以男人现今注意到这历史上著名悲剧的葛藤，便着手改造这国家权力的本质，从事于根本的社会运动了。

女人怎样？可是重新要想做这悲剧里的艺员吗？

我希望女人们觉醒过来。虽然不一定要如圣书所说，"落后者在前，在前者反而落后"，却也似乎不应该终于"落后"！觉醒过来，向社会的运动去罢！

(第八卷第六号，一九二一年四月一日)

（一一〇）跑到内地才睁开了眼睛么？

汉　俊

　　臭气弥漫，褐灰色破烂衣服随风飘摇着的天空里，粪溺相杂疮毒满身似的黑地上，杂聚着些千鹑百结皮黄肌瘦污垢的群众，有的在道路上行走嘈杂，有的在太阳光里脱衣坐着捕虱，有的在房内清理布片，有的在污烂的被下做无力的呻吟：这种景象，大约谁也以为是地狱的景象，绝不是人间所有的。那晚这却是华丽的上海的贫民窟的景象咧！（不是长沙城里的景象。长沙城里有没有这种景象，我不晓得！但我在我的乡间和我所经历的内地却还没有看见这种程度的景象。）这种贫民窟，在上海至少也十多处，只要是睁开眼睛的人，就是不很经意也会看见。然而竟有人，在上海住过好几年没有看见，一定要跑到了内地才看见，这真是奇怪的事。难道跑到内地才睁开了眼睛么？

（第九卷第一号，一九二一年五月一日）

（一一一）社会主义是叫人穷的么？

汉　俊

　　有位先生跑到内地去，看见了这种景象，才晓得人间也有地狱的景象，中国也有营非人生活的人，于是大发慈悲，发愿救济这些人，使他们能够营"人的生活"。因为要使这些人能够营"人的生活"，就想到要发展实业；因为要发展实业，就主张资本主义。因为要主张资本主义，于是就反对社会主义。大概世间只有资本主义的发展实业，才能够使人营"人的生活"，社会主义是不能发展实业，是不能使人营人的生活的！但我都不知道这位先生睁着眼睛跑到那资本主义的实业发达到了极点的英国去，看了伦敦的伊斯特砚德，美国去，看了纽约的哈克洛、巴俄列，并跑到那资本主义的实业不如英美而比中国发达的日本去，看了大阪的滩波、东关谷叮，俄国去，看了莫斯科的希特尔斯卡耶（现在的景象或者变了）。——不知又作若何感想，又来提倡什么？

（第九卷第一号，一九二一年五月一日）

（一一二）进了步了！

汉　俊

中国在进化上比欧美落后几百年。在海禁未开以前，还是不问紧要；海禁开了以后，已经成了世界的一部分，就非赶快追及欧美以求调和不可，不然就要遇着天然的淘汰了；所以中国在这很短的期内，就在这里把欧美过去数百年间徐徐进化过来的过程赶快蹈完。因为要在这很短的期内，蹈完别人数百年经过的过程，所以不免有脚步凌乱，或几步并作一步走的事。现在的中国在经济上已经走到欧洲封建制度破灭后的资本制度了，政治上却还没有脱离欧洲资本制度尚未发生的封建制度。所以百余年前欧洲第三阶级要推翻贵族握得支配权，和欧美现在的第四阶级要推翻第三阶级握得支配权，这两个进化历史上的过程，在中国却因时显现了。两过程同时显现了，支配权又只握在贵族手中，所以这两阶级在政治上所攻击的目标就并作一个。有许多糊涂虫，本来想干第三阶级运动的，看见了第四阶级在政治上所攻击的目标，与他们所攻击的目标一样，就以为第四阶级是他们的同志，第四阶级的运动就是他们的运动，第四阶级所信奉的社会主义也就是他们所信奉的主义。第四阶级的运动是不单在政治的革命，乃是主张以第四阶级自己的力量实现自己的理想，并不与别政党发生关系，并且还要讥消现在活动的政党的。于是这些糊涂虫又以为社会主义就是反对他们所反对的政党,于是更将社会主义看作他们所应信奉的主义,大大地唱起社会主义来了。但第四阶级运动与第三阶级运动的目的是不同的:第四阶级运动的目的是在造出生产工具归社会公有的社会;第三阶级运动的目的是在造成欧美现有资本主义的国家:两边在目的上是绝对不能一致并且是互相排挤的。所以第四阶级里面明白点的人,不管他们唱社会主义怎样热烈,总是不理睬他们,并且还要讥诮他们。他们觉得很奇怪,以为你们是我们的同志,同我们走的是一条路,为什么不一致起来,反而攻击我们呢?但第四阶级里面明白的人,还是不理睬他们;他们也还是不理会,还是在那里大唱社会主义。但后来,不知是欧洲回来的先生指明了他,还是因为他们经过内地观察得了教训,却终了恍然大悟,大大地反对起社会主义,提倡资本主义了。有人看了这种情形,说他们是变了节,但我却说他们是进了步了。

(第九卷第一号,一九二一年五月一日)

（一一三）日本人尽管放心就是了！

汉　俊

近来日本人因为罗素到中国来，日本要从中国翻译罗素的思想，又听见那到北京去——到北京去的声浪……恐怕遣唐时代再现，日本又要从中国输入文化。就有人大大悲观起来。但日本诸君尽管放心现在的中国还是从前的日本的呢！一九零几年的时候，日本某检事不是说过马克思是无政府主义的首倡者么？一九二一年的中国政府也还是说"京师地面，屡次发现无政府印刷书件……可知此等过激党徒……"。日本政府从前不是因为恐惧社会主义，连社会学的书籍都禁止了么？一九二一年的中国政府也还是因为恐惧什么主义，连协力主义的书籍都扣留了。而且一九二一年的中国学者，也还将社会主义同社会政策要混同了。现在的中国还是从前的日本呢，诸君尽管放心就是了！

（第九卷第一号，一九二一年五月一日）

（一一四）文化运动与社会运动

独　秀

文化运动与社会运动本来是两件事，有许多人当做是一件事，还有几位顶呱呱的中国头等学者也是这样说，真是一件憾事！

文化运动的内容是些什么呢？我敢说是文学美术音乐哲学科学这一类的事。

社会运动的内容是些什么呢？我敢说是妇女问题劳动问题人口问题这一类的事。

这两类事的内容分明是不同的，硬要把它们混为一谈，岂非怪事吗？

文学美术里面，也许有人喜欢加上一点社会化的色彩，描写到妇女问题和劳动问题；从事社会运动的人，也许要很留意文学美术哲学科学做他们社会运动的工具；但这两类事业的本身，仍然是两件事，不可并为一说。或者有人一方面从事文化运动，一方面又从事社会运动，这只可以说一个人兼做两类的事，不可以说这两类事是一类。

有一班人以为从事文化运动的人一定要从事社会运动，其实大大的不然；一个人若真能埋头在文艺科学上做工夫，什么妇女问题劳动问题闹得天翻地覆他都不理，甚至于还发点顽固的反对议论，也不害在文化运动上的成绩。又有一班人以为社会运动就是文化运动，这更是大错而特错；试问妇女问题劳动问题在文艺科学上有何必然的连带价值？并不是我们看轻了社会运动，只因为它和文化运动是两件事，我们不能说在社会运动有成绩的人在文化运动也有成绩，也和我们不能说在文化运动有成绩的人在社会运动也有成绩是一样。以上两种人的误会，都因为不明白文化运动和社会运动是两件事。

又有一班人并且把政治实业交通都拉到文化里面了，我不知道他们因为何种心理看得文化如此广泛至于无所不包？若再进一步，连军事也拉进去，那便成了武化运动了，岂非怪之又怪吗！

政治实业交通都是我们生活所必需，文化是跟着它们发达而发生的，不能说政治实业交通就是文化。这个道理罗素在北京演讲的《社会结构学》里面有一段说得很清楚，现在录在下面：

什么叫做文明，其定义可以说是要求生存竞争上不必要的目的——生存竞争范围以外之目的。古化文明，第一次发源于埃及巴比伦大河出口之处，地土膏腴（腴），宜于农作，由农业发生文明……在膏腴（腴）的地方，如长江黄河的下游，一人工作出来的不止供给一人的需要，于是少数人得着闲暇，可以从事知识思想的生活如文字算术天文等，均为后世文明的基本；但在这时候虽有少数人从事文明事业，其大多数人做工还非一天到晚劳苦不可，科学哲学美术固然也有人注意，但只是少数幸运的人；在实业发达时代，生产必需品既然增加，要多少就有多少，一人只要每天四小时做工，余剩的就可以从事知识思想的生活了。

（一一四）文化运动与社会运动

　　创造文化，本是一民族重大的责任，艰难的事业，必须有不断的努力，绝不是短时间可以得着效果的事。这几年不过极少数的人在那里摇旗呐喊，想造成文化运动的空气罢了，实际的文化运动还不及九牛之一毫，那责备文化运动的人和以文化运动自居的人，都未免把文化太看轻了。最不幸的是一班有速成癖性的人们，拿文化运动当做改良政治及社会的直接工具，竟然说出"文化运动已经有两三年了，国家社会还是仍旧无希望，文化运动又要失败了"的话，这班人不但不懂得文化运动和社会运动是两件事，并且不曾懂得文化是什么。

（第九卷第一号，一九二一年五月一日）

（一一五）中国式的无政府主义

独　秀

我近几年来细细研究我中华民族种种腐败堕落到人类普通资格之水平线以下，我的惭愧悲愤哀伤常常使我不肯附和一班新旧谬论。

我敢大胆宣言：非从政治上教育上施行严格的干涉主义，我中华民族的腐败堕落将永无救治之一日；因此我们唯一的希望，只有希望全国中有良心有知识有能力的人合拢起来，早日造成一个名称其实的"开明专制"之局面，好将我们从人类普通资格之水平线以下救到水平线以上。

施行这严格的干涉主义之最大障碍，就是我们国民性中所含的懒惰放纵不法的自由思想；铸成这腐败堕落的国民性之最大原因，就是老庄以来之虚无思想及放任主义。

近来青年中颇流行的无政府主义，并不完全是西洋的安那其，我始终认定是固有的老庄主义复活，是中国式的无政府主义，所以他们还不满于无政府主义，更进而虚无主义而出家而发狂而自杀；意志薄弱不能自杀的，恐怕还要一转而顺世堕落，所以我深恶痛绝老庄的虚无思想放任主义，以为是青年的大毒。

《民国日报》《觉悟》上，太朴答存统的信中说："我相信中央集

(一一五)中国式的无政府主义

权的政治组织与中国的国民性不能容；马氏主义是中央集权，故我不信其能实行。"又说，"中国的国民性既不容中央集权的政治组织，而中国的社会情形又向来是无政府已惯的，所以一旦要行起劳农政治，要组织强有力的中央机关，我真不知其可也！"又说，"我是中国式的无政府主义者。"

太朴先生这几句话诚然不错，但我以为若要迁就中国国民性和社会情形而不加以矫正，只有袁世凯、张勋一班人绝对赞成罢；因为袁张都正是口口声声根据国民性和社会情形发挥他们的主张呵！

我发誓宁肯让全国人骂我攻击我压迫我，而不忍同胞永远保存这腐败涣散的国民性，永远堕落在人类普通资格之水平线以下。

(第九卷第一号，一九二一年五月一日)

（一一六）下品的无政府党

独　秀

我前次所说中国式的无政府主义即虚无主义的无政府党，在中国读书人中还总算是上品；其余那一班自命为无政府党的先生们，投身政党的也有，做议员的也有，拿干俸的也有，吃鸦片烟的也有，冒充人家女婿的也有，对人说常同吴稚晖先生在上海打野鸡的也有，做陆军监狱官的也有，自称湖南无政府党先觉到处要人供给金钱的也有，以政学会诬人来谋校长做的也有，书已绝版尚登广告劝人寄钱向他购买的也有，谋财杀害嫂子的也有，可以说形形色色无奇不有了。

吴稚晖先生说："什么无政府党，简直是拆白党！"

沈玄庐先生说："传播一种主义，为现社会所嫉视的；或单独施行一种牺牲生命的行为给社会群众一个暗示；这是何等简单纯洁的行为。勇于群众所不敢做的事，拿躯体做了肉弹，在己身一无所图而给昏迷的群众一个大大的暗示，尤为难能可贵。群众中间，亦须万人中得一二这样的分子，无论旧势力怎样严重的压迫，没有不崩溃的。可是这类的动作，是沉默中的迅雷，是立体的事实，决不是被雇佣或鼓吹别个人去做的事。现在居然有几个人把（手枪炸弹）挂在口头，印上纸面，做传播主义的锋头；这些不实的平面的空谈,拿来吓死老鼠都无用,打算骗哪个人呢？如果说这也是一种鼓吹,希望别一个人去实行。这种叫人家去放火,自己立在隔岸做指挥者,事成,居了功;事败,免得祸;这是什么心理？

"现在有几个人,既不是过资本生活,又不做工银劳动,据他们的主张是'传播主义维持生活'。在操行清洁的,未尝不像一个沿门托钵的苦行僧;只是借传播主义来维持生活,就活现一个择肥而噬的拆白党。依我个人当面接受到的口吻,公然有无论取到哪一个人的财货,就算是'光复'的。分明不是生产的劳动者,却把生产劳动者该说的话该做的事也横领了来,掠夺的手段,几乎驾在资本家之上。一面还要反对劳工专政,这又是什么心理呢？'你的就是我的我的还是我的',社会上为这些人下了这种标语,这正是克鲁泡特金《互助论》例外的人,更是托尔斯泰对他无抵抗的人物,尤其是马克思阶级争斗史中变态的产儿。这几个人,常常自命为'万国政府所不容',幸而资本主义的国家和政府存在,一般人因为正在起阶级仇视的思潮,不注意这些少数变态的拆白党身上去,如果经济制度革了命,哪里有他们的立脚地！"

(第九卷第二号,一九二一年六月一日)

（一一七）青年的误会

独 秀

"教学者如扶醉人,扶得东来西又倒。"现代青年的误解,也和醉人一般。你说要鼓吹主义,他就迷信了主义的名词万能。你说要注重问题,他就想出许多不成问题的问题来讨论。你说要改造思想,他就说今后当注重哲学不要科学了。你说不可埋头读书把社会公共问题漠视了,他就终日奔走运动把学问抛在九霄云外。你说婚姻要自由,他就专门把写情书寻异姓朋友做日常重要的功课。你说要打破偶像,他就连学行值得崇拜的良师益友也蔑视了。你说学生要有自动的精神自治的能力,他就不守规律不受训练了。你说现在的政治法律不良,他就妄想废弃一切法律政治。你说要脱离家庭压制,他就抛弃年老无依的母亲。你说要提倡社会主义共产主义,他就悍然以为大家朋友应该养活他。你说青年要有自尊的精神,他就目空一切妄自尊大不受善言了。你说反对资本主义的剩余劳动,他就不尊重职务观念连非资本主义的剩余劳动也要诅咒了。你说要尊重女子的人格,他就将女子当做神圣来崇拜。你说人是政治的动物不能不理政治,他就拿学生团体的名义干预一切行政司法事务。你说要主张书信秘密自由,他就公然拿这种自由做诱惑女学生的利器。长久这样误会下去,大家想想是青年的进步还是退步呢?

（第九卷第二号,一九二一年六月一日）

（一一八）反抗舆论的勇气

独　秀

舆论就是群众心理的表现，群众心理是盲目的，所以舆论也是盲目的。古今来这种盲目的舆论合理的固然成就过事功，不合理的也造过许多罪恶。反抗舆论比造成舆论更重要而却更难。投合群众心理或激起群众恐慌的几句话往往可以造成力量强大的舆论，至于公然反抗舆论便不是一件容易的事了。然而社会的进步或救出社会的危险，都需要有大胆反抗舆论的人，因为盲目的舆论大半是不合理的。此时中国的社会里正缺乏有公然大胆反抗舆论的勇气之人！

（第九卷第二号，一九二一年六月一日）

(一一九)说实话

张嵩年

人生最要的一事是敢于"承认事实":黑的认为黑,白的认为白;不以白之有利于己而认不白为白,不以黑之有害于人而认白为黑;因为白有利于己,遂愿意凡色都白,因为黑有害于己,凡遇黑的便讳而不言——这种心思,更要敢于自认。科学方法的精神在是,理性(戴东原说,理是情之不爽失的。协于天地之德的欲即理之正的,吾所谓理性差不多如此。)之胜利在是,通俗言之,不过敢"说实话"而已。科学并非能战胜自然,只是认识自然,随顺自然,至多也不过利用自然。再换句话,就是能说实话而已。

本来,真理不过是实话之文雅的名称。

可惜人们,故意或非故意,自觉或不自觉,意识的或无意识的,总多少是说谎者。人心中很普通的一种现象,弗洛伊德心理学中所谓"合理化"的,便是撒谎的一种。

想从根本上打破以虚伪为一种特性的现世界,吾以为很有组织一个"实话党"的必要。这个党要从心理上,从形成这种心理的人间关系上,毁掉不说实话的因缘。

(第九卷第三号,一九二一年七月一日)

（一二〇）社会

张嵩年

社会是什么,社会在哪里？找不出上帝,不能使吾信上帝。指不出社会,不能使吾从社会。

吾知许多人虽不能晓得社会是什么,却晓得社会的代表者。

社会的代表者是什么？在上者,现在占优势有权力者。

现在在上者占优势有权力者是什么？资本家、官僚、皇帝、孔子、释迦牟尼、耶稣、男子；比较抽象的：习惯、风俗、从古传来的制度、先民遗留的思想、法律、禁（入国问"禁"之"禁"）、私有制度、婚嫁制度、国（吾信国是一种制度,但新有社会学者说国是一种结社,如寇尔 Cole、马克威 Maciver 等）；爱国心、国旗崇拜、崇拜生殖器、上帝……在现在服从社会,能外乎服从这些东西么？

（第九卷第三号,一九二一年七月一日）

(一二一）过渡与造桥

独 秀

今人多言过渡时代，我以为这名词还不大妥，因为有个彼岸才用渡船渡过去，永续不断的宇宙人生，简直是看不见彼岸或竟实无彼岸的茫茫大海，我们生存在这大海中之一切努力，与其说是过渡，不如说是造桥。自古迄今人人不断地努力，都像是些工程师和小工在那里不断地造桥。这座桥虽然还没有完工的希望，或者永无完工的希望，但是从古到今已造成的部分却是可以行人，并非劳而无功。我们今后若是不想双脚蹈海，若是还想在桥上行走，只有接续前人工程努力造桥，使这桥一天长似一天，行人一天方便一天；不但天天要把未造的延长，而且时时要把已造的修整，不可妄想一劳永逸，更不应因一时不见彼岸而灰心。或者可以说，这桥渐渐造得又长又阔，能容大家行车跑马，又架上楼阁亭台，这桥便是彼岸，此外更无所谓彼岸。

（第九卷第三号，一九二一年七月一日）

（一二二）卑之无甚高论

独　秀

高论倘能救世，孔孟之称仁说义早已把世界弄好了。

罗素离中国最后的演讲《中国人到自由之路》里面说，"中国最要紧的需要是爱国心的发达，而于有高等知识足为民意导师的尤为要紧"。这句话恐怕有许多高论家骂他不彻底，更要责备他和从前热心主张的世界主义反背了。我独以为这正是对中国人很适当的卑之无甚高论。他又说："希望在极短促的期间，把公精神分播到民间去，实是痴想。但是改革之初，需有一万彻底的人，愿冒自己生命的牺牲，去制驭政府，创兴实业重新建设。"这句话恐怕有许多高论家骂他提倡少数人专政。我也以为这正是对中国人很适当的卑之无甚高论。

中国人民简直是一盘散沙，一堆蠢物，人人怀着狭隘的个人主义，完全没有公共心，坏的更是贪贿卖国，盗公肥私，这种人早已实行了不爱国主义，似不必再进以高论了。

一国中担任国家责任的人自然是越多越好，但是将这重大的责任胡乱放在毫无知识、毫无能力、毫无义务心的人们肩上，岂不是民族的自杀！中国此时不但全民政治是无用的高论，就是多数政治也是痴想；若照中国多数人的意思，还应该男子拖下辫子，女子包起小脚,吃鸦片,打麻雀,万事都由真命天子做主。这种事实决不是高论能够掩住使我们可以不承认的。

吴稚晖先生说:"现在只好令列宁杀了我们,然后我们再杀列宁。"我想吴先生这种卑之无甚高论的论调,不专为老腐败而发,也并为一般自命为觉悟的青年而发。

可怜我们中国幼稚的产业和幼稚的教育逼迫着我不得不鼓起勇气说句实话,"卑之无甚高论"。

我希望不愿意民族的自杀之人,勿闭起眼睛妄发不认事实自欺欺人的高论!

(第九卷第三号,一九二一年七月一日)

(一二三)革命与制度

独 秀

社会的进步不单是空发高论可以收效的,必须有一部分人真能指出现社会制度的弊病,用力量把旧制推翻,同时用力量把新制度建设起来,社会才有进步。力量用得最剧烈的就是革命。革命不是别的,只是新旧制度交替的一种手段,倘革命后而没有新的制度出现,那只算是捣乱、争权利、土匪内乱,不配冒用革命这个神圣的名称。若说制度总不是好东西,不如根本革了它的命;这种高论或者有人以为如此才算彻底,其实旧制度正可借这种高论苟延残喘;因为凡是一种制度,都有它所以成立的理由和成立经过在历史上的势力,非有一种新的制度经过人们努力建设,成了舆论,成了法律,在事实上有代替它的势力,它是不会见了高论便自然消灭的;所以不切于实际需要的高论往往可以做旧制度的护身符,这种高论只算是低论罢了。

(第九卷第三号,一九二一年七月一日)

（一二四）政治改造与政党改造

独　秀

"人是政治的动物"，政治只可以改造变形，要说人类可以绝对不要政治，这话此时还没有证据。既然有政治便不能无政党，政党只可以改造，要说政治可以绝对不要政党，这话此时也还没有证据。无论是有产阶级的政党或无产阶级的共产党，凡是直接担负政治责任之团体，似乎都算是政党。一般人民虽然都有选举被选举权，但实际上被选举的究竟多是政党；一般人民虽然都有参与政治的权利，但实际上处理政务直接担负政治责任的究竟还是政党；所以政党不改造，政治决没有改造的希望。

有产阶级各政党的过去的成绩，造谣、倾陷、贿卖、假公肥私、争权夺利、颠倒是非排斥异己，不分东方西方都在百步五十步之间。以这班狐群狗党担负政治的责任，政治岂有不腐败之理。有人说，在有产阶级的政治之下，由金力造成的政党，这种现象是必然的，是无法改造的，只有以共产党代替政党，才有改造政治的希望。我以为共产党的基础建筑在无产阶级上面，在理论上，自然要好过基础建筑在有产阶级上面用金力造成的政党；但是天下事"无征不信，不信民弗从"，旧政党的腐败诚然是信而有征，新的共产党究竟如何，全靠自己做出证据来才能够使人相信啊！

罗素在《中国人到自由之路》里说:"改革之初,需有一万彻底的人,愿冒自己生命的牺牲,去制驭政府,创兴实业重新建设。这类人又须诚实能干,不沾腐败习气,工作不倦,肯容纳西方的长处,而又不像欧美人做机械的奴隶。"又说,"中国政治改革,决非几年之后就能形成西方的德谟克拉西。……要到这个程度,最好经过俄国共产党专政的阶级。因为求国民的知识快点普及;发达实业不染资本主义的色彩,俄国式的方法是唯一的道路了。"

罗素这两段话,或者是中国政党改造的一个大大的暗示。

政党是政治的母亲,政治是政党的产儿;我们与其大声疾呼,"改造政治",不如大声疾呼:"改造政党!"

(第九卷第三号,一九二一年七月一日)

(一二五) 难道这也是听天由命的教义吗？

佛　海

中国人有个最大的毛病，就是以为凡事不要自己努力，而可委诸天命，一件事成功，不说是努力的结果，而说是命该如此，或运气到了。一件事失败，不说是努力未到，而说是命中该劫，或运气未来，所以常有人以为命里该穷，运气未到，就做死也是穷的；命里该富，运气一到，就是不做也可发财，这种心理，也可以把中国人的惰性表现到十分了。

不图现在竟有拿这心理来解释唯物史观的。

他们以为马克思说经济的条件未具备时，就是要实现社会主义也是不行的；经济的条件一具备，就坐着不动，社会主义也是自然要出现的，于是以为就前者的场合，不宜去努力，因为即努力而一定没有效果；就后者的场合，不必去努力，因为即不努力也可以坐收成效，总而言之：他们以为无论何时，都不要努力，这不和以为财运未到，就做也是穷，财运一到，不做也会富，所以率性都不做的是一样吗？

朋友们！唯物史观不是叫你们听天由命的，不是叫你们不要努力的！

经济的条件未具备时，不是不容人的努力的，人的努力，可以促自然的进化,经济的条件既具备时,不是不须人的努力的,新社会组织,不能从空降下,若说前句话不对,何以产业未发达的俄国,竟先成功社会革命。若说后句话不对,何以产业发达到极点的英、美,还在资本制度底下讨生活?这是两个活泼泼的实证,你们要睁起眼睛看一看!

要惰的,尽管去惰;要听天由命的,尽管去听天由命;可是不要再来污蔑唯物史观!唯物史观绝不是听天由命的教义!

(第九卷第五号,一九二一年九月一日)

（一二六）狄克推多制（Dictatorship）与农民

佛　海

　　有同一个事实，而可以拿来做反对及主张同一事情的理由的，这就是说拿一种事实来做反对某事的理由，却不料那种事实就是主张某事的重要理由。有些人拿着农民于保守的一事实，来做反对中国行狄克推多制的理由，他们以为农民是不喜欢根本变动的，若拿狄克推多制来变更他们的日常生活一定要遭急激的反对，而使改革的事业不能成功。他们的这一说，确是事实，因为农民确是保守的；但是我不知道他们究竟晓不晓得为什么要行狄克推多制？狄克推多制之所以必要的一个理由，正是因为农民习于保守！农民习于私有制度，最初是不肯赞成社会革命的，要他们不来妨碍社会革命，放弃土地私有，就非用狄克推多制不可，不然，像俄国农民一样，把谷物深藏起来，都会的人民都会要饿死，设若不如反对者所说的，农民不是保守的；那么，他们一定要来赞助社会革命，狄克推多制的必要至少也要失掉了一部分，所以他们以为农民是保守的，所以中国不宜于狄克推多制；我则以为正因为农民是保守的，所以中国才要行狄克推多制。

（第九卷第五号，一九二一年九月一日）

（一二七）革命定要大多数人来干吗？

佛　海

革命的原动力在哪里？我答道：在少数先觉的人，打开历史看上下，睁起眼睛观东西，无论什么时代、什么地方，革命思想，都是由少数人里面，传到大多数群众里面去，绝没有反从大多数民众里面，传到少数人里面来的；革命行动，都是由少数人先发，多数人附和，绝没有由大数人先发，人少数附和的。

大多数的群众，为传统的习俗所因袭，为奴隶的教育所熏染，对于现状，绝不知抱不满，绝不敢抱不满的，使日本全国人民，总投票以决皇室的去留，我敢断言皇室的运命，至少还有一百年。

若要等到大多数人崛起，才说可以革命，那真是等百年河清；若以大多数人都是如醉如痴，就来悲观革命，那也是无聊的杞忧。

要讲革命吗？第一要知道的，就是：革命不是要大多数人来干的。

（第九卷第五号，一九二一年九月一日）

（一二八）切实试行！！！

赤

　　杜威实在没有多少好处。有之，只一点，胡适之很晓得。便是他的实验方法。便是他的日尝主义。科学上用这个方法，日常生活上用这个方法。社会、政治上也要用这个方法。
　　罗素的好处，吾们能知道。他是最重科学方法的，他广大、深微，而切实。他唱哲学里的科学法，开哲学的新纪元。他是晓得哲学之真意思的。他是晓得哲学之真价值的。吾们相信，哲学如果长存在，意思绝难出了罗素所说的意思；价值绝难多过罗素所说的价值。
　　但罗素的好处，还不止此。他还有他的真理说。他说真理是与事实相应的说话。吾们常说，真理就是实话。真理不过实话之雅名。实话以外，更无什么高不可攀的真理。吾们这个说法，小部分由于自家的体验，大部分根本罗素所说。
　　柏格森的哲学殊多欺人之点。然而他能重行，也是不可磨灭之处。
　　吾们现在要把杜威、罗素、柏格森三家之说合在一炉。吾们因此主张"切实试行"。这四个字要平等重看，半个轻忽不得。吾们不论主张什么东西，都要实地试试看。不论做一种什么事业，都要敢于承认事实，敢于说实话，敢于自己批评自己，勇于更改做过的错误。

吾们经营一件事,不能总说要预备。预备与实行不能划为截然的两件事。

孔子说,未有学养子而后嫁者。

特洛斯基说,学骑马要骑在马上学。

卢森堡说,群众必须以用权,学怎样用权。

孔子说,学而不思则罔,思而不学则殆。

吾们今以为不但学、思相依;学、思、行也相待;三者缺一,余不立。吾们看学、思、行;如同相对论者论空、时、物;相联同存,相离同与我无与,同与世无与。凡吾们所实见,都是三者连着出现。

不诚无物,不行也无物。

一个思想、一个学说,不体验,怎能知其真妄?

一个主张、一个方法,不行,怎能知其可行不可行?

凡是思想、学说、主张、方法,都要起于事实,更要归于事实。

不论什么思想、学说、主张、方法,未试未行之前,不论作者自己觉着怎样周到,怎样美备,怎样圆满,都是靠不住的。学说在未有充分的印证之前,都只叫作假设。"闭门造车,出门合辙";其实殊不见得,如果前无畴范,如果前无法模,如果前无数度,如果前未就辙量过。

凡是新思想,凡是新学说,凡是新主张,凡是新方法,必有待于体验,必有待于尝试,必有待于行。不行,不知道合实不合实。不行,不知道可行不可行。不行,不知道何处不妥。不行,不知道哪儿应改。不行,不知道有什么难处。"经一蹶者,长一智"。但世如此,智几几乎都是由蹶来的。

试验可以发新理论,实行可以得万想不到的巧方法。

吾们如果不愿做寄生虫;吾们如果不肯拿思想、主张,当游戏;

吾们如不肯拿知识、学术当玩具；吾们有所知、有所思、有所主张，总是愿意把它实现的。既然自己如此愿，就要自己如此行。

越是一个主张，行出去，一时行者要受现状的痛苦的，要受现状的生活的压迫的；越非由主张者自己作前驱不可，越非由主张者自己先试行不可。主张者如果有痛苦，痛苦当然不能归别人。

吾们是庶人，吾们不是绅士，吾们不是大夫。吾们不会美名归己，过错待人。吾们更不怕失掉什么。吾们何所失？吾们只有失网罗！吾们只有失偶像，吾们只有失旧制度、旧风习、旧道德！吾们怕失地位么？吾们的地位已在最低层！吾们怕失产业么？吾们原是无产者。吾们怕失生命么？吾们的生命无时无刻不在被迫害之中！看！社会所以对付吾们还有什么？戕残吾们的生命罢了！困难吾们的生活罢了！夺去吾们的饭碗罢了！吾们怕什么，吾们失什么？

不知则已，知则必行！不思则已，思则必行！不主张则已，主张则必行！

不论什么好东西，没有徒徒空想能成功的。岂但徒徒空想不能成功；源起，也没有源起于空想的。不论什么好思想，都是生活迫出来的。不与实际接近，如何能说实话？不与社会奋斗，能把社会怎着？没在工厂生活过，说工人应怎样怎样组织，终究要隔一层膜。不是无产阶级的人必不能评论无产阶级举动的是非。

更有一个必要的常识，罗素说过。他说，对于一个东西，总是越离近，越认识的真切；越解析，越晓得清楚。

吾们也说，一个主张，必越切实的试行，才越觉着有活趣。

(第九卷第六号，一九二二年七月一日)

(一二九)个人不负罪恶责任

赤

果然世界有罪恶,罪恶责任绝不在个人。

此理至显,常识可喻。

第一,人是不是天性愿意作恶?人如不是生来就想作恶,后来如果作了恶,必是境遇迫的,社会挤的。罪在社会,恶在境遇,个人何忧?

第二,如若作恶是天性,天性既然如此,个人更无责任之可言。

有人必说:"人应有自由意志,人要战胜环境,人须自拔。"

是的,人是万物之灵!人有无穷无限比天还大的本事!

但是为什么两千年前孔二哥就做大同的梦,柏大个就想"共和那",到了现在,世界还是这个相?

自然界如无定数,科学都不成立。必行如无定数,弗老大夫的心解学说也不成立。

作恶只是个人做了社会的牺牲,是极可怜堪悯的现象。要他负什么责任?

不但男盗女娼是现社会很可伤,很好的人。什么军阀资本家也在可恕免之列。

社会是万恶之成就者。人性是罪恶之教唆者。

吾们只有

革社会之命；

调理人之性。

社会革命，人性调理，现在最切实，因此可备最好的计划，便是共产主义。

伯讷萧新近告我们："在吾们把文明当做一个纯粹病的现象而弃之之前，吾很愿意看见把共产主义试一会儿。无论如何，它不至会产出比资本主义更坏的结果。"

（第九卷第六号，一九二二年七月一日）

（一三〇）"社会问题"

赤

社会问题！社会有什么问题？饮食男女四个字，有包不尽的么？但能把关系吃饭的事，关系男女合伙睡觉的事，布置得法，使无一夫一妇不得其所，无一夫一妇不得果其腹，餍其欲，无过也无不及，——但能如此，社会还有什么问题？世界不从此长治久安了么？

许多人说弗洛伊德（Freud）主张性欲冲动是一切心的活动之本原，说他主张"泛性欲论"（Pansexualism）。他现在差不多已誓死不肯承认。他现在主张的是：人的根本冲动有两种：一种叫性欲冲动（Sexualtriebe），一种叫自我冲动（Ichtriebe）。两种在人，最初是不可分的，后来也常常相连结。人的一切行动都直接、间接、饰的、露的，发于此。吾们可以觉得这个说法实更近于事实。吾们更觉得改造世界，非着眼这个人心的根本不可。罗素改造论之惊人的地方，最在他注意到冲动那一点。自我冲动的发露，就是自我的安宁，自我的尊贵鲁莽言之，不外乎吃饭。再鲁莽言之，性欲冲动的归趋，男女合伙睡觉六字可包。冲动是委屈不得的。定立一种社会品制，如果妨碍了这两种冲动，如果不能使口腹的饿，与性欲的饿得适分的满足，必不能长治久安。

这件事却是非易。徒打多暂就有人想改造社会！哪个人不想世界长治久安？可是直到现在还逃不出一治一乱的话，或且"更有甚焉"。这个情景只是原因想改造的人看不到这个人性的根本事实，或是不敢看到，再不就是看到一点了，处置仍未得法，暂安一时，长久还糟。

　　孔仲尼，孟子舆，总算很看到这个了，所以说"饮食男女，人之大欲存焉"；所以说"食色性也"。然而他们对付这个的方法，只有礼乐。乐自要紧，礼便只有流弊。后来出了迂阔的宋儒，说什么"失节事大；饿死事小！"两句话恰恰与人心的两个根本相反！似乎要误尽苍生了，然而苍生岂肯受他误！

　　现在还有想解决社会问题的人么？第一，你们要大起胆子，睁开眼睛，敢于看到这个人心的根本事实！

（第九卷第六号，一九二二年七月一日）

(一三一)完人

赤

The Matto of the revolution no less than of the reaction, must be! Thorough.

一个朋友说,完人不是容易的,做事不必求完人。吾当时听了,很不高兴,以为为什么做事定要求完人,把完人看得这样儿高!既而一想,不然,不然。做事是非求完人不可的,不是完人绝做不出什么大事业出来。"小德"是万万出入不得的!

如果做强盗,便应一言一行,一举一动都是强盗模样。没有一贯的主张,没有彻头彻尾不离其宗的行动,口口声声骂旧道德,却绝不敢向圣人的藩篱外伸伸腿,心里总想这样子一来,现在的地位要保不住了罢,饭碗要落地一声乓罢,——这种人真所谓"畏首畏尾,身其余几!"

言行不一致,最可怜!如果觉着现在这样也就够了,还说革命革命,大可不必不必!

所以吾所谓完人只是:做强盗便完全做成一个强盗!做李世民便不应惦记隋炀帝。做朱元璋便不应顾念元顺宗。

这个主张自然根据一种人生观与认识观。吾以为人生最要紧的是一个真字。人总要作得赤裸裸,没有不可见人的地方。说得出来，做得出去，做得出来，说得出去。所谓反身而诚，乐莫大焉。人做事，总求能自知其根据。

真理是实话之雅名。在科学史上有充分的根据。

在世界观上，作伪最劳，劳与自然根本违反。

（第九卷第六号，一九二二年七月一日）

（一三二）"研究问题"

赤

衰老的民族，惰性非常充足。

因为偷惰的缘故，于是只道听途说的瞎谈主义，绝不把实际的问题，一加研究。这很像只知背方书，而不临床！

一个人出来说，这样子不行。于是许多人也渐渐地口说问题，笔写问题。

可是问题从何而来？问题发生于事实。有了事实的不相容，有了事实的搁浅，于是成立问题。解决问题只是求去掉事实的不相容，使其归于和谐，进行遂顺。所以解决问题必须明白事实，必须按切事实。没有现成主义做指导，解决问题必至事倍而功半；自然，现成主义，也可以为解决问题之妨碍。自然，人也不可以为事实所拘，矫枉过正。

然而现在之讨论问题的怎么样，不察事实，不管事实之有无，捕风捉影，设立问题。问题之设立竟可以与事实无关！问题之解决如何会能与事实有涉？

这样子的清谈问题，与空谈主义，究竟何异？

"狐埋狐抓"！

"一丘之貉"！

（第九卷第六号，一九二二年七月一日）

(一三三)共产主义之界说

赤

一切生产器具大家共有。一切生产结果大家共有。公共生产,公共消费。不牺牲个人于公众,不牺牲公众于个人。全体享乐,各个享乐。社会良善组织,人人圆满发达。普通说起来,这就是所谓共产主义。但这样说法,究嫌太泛。若求严明,须看共产主义今日实际的意思。

共产主义在今日,实指一种最有组织的"推翻现在的社会品制而代以一个较好的"计划。在这个计划的下,有五个主要的坚强信念:

第一,资本制度,在世界文明上,就令可算一个必经之阶,绝不能为真文明之基础。

第二,资本制度现在已处在一种极不安的状态:资本主义已不能管他自己的事;就说大混乱还未开始,实已迫在眉睫。

第三,只由无产阶级的专政,建立了共产主义,社会的安定才能重得,秩序与进步才能再望。

第四,这个变更,必须是革命性质的;必须以非宪的手段抓住权力;必须以强力扑灭反革命。

(一三三)共产主义之界说

第五,资本主义的推翻必须是全世界的;地方的革命不济事;非实现世界革命的计略,共产主义不能成就。

简括言之:阶级战争,世界革命,无产阶级专政,全权属于"苏维埃"(农工评议会):一切共有的共产主义舍此不立。

除这以外,固然还有许多含意,但这五条实当代共产主义最关要害的特性,且是凡今自讲共产主义者无不同意之点。这五条很可指出共产主义革命一个重要特色,与以前一切变更社会结构的革命不同的,便是它的完全有意识性,便是它是人的自觉的企图,一种正在进行所及深远的社会变迁,出自人心之创造的革命力的,世界史中第一次于共产主义见之。

(第九卷第六号,一九二二年七月一日)